JN086631

こどもSDGs

★なぜSDGsが必要なのかがわかる本★

KANZEN

このままでは大人になったときに地球は立ち行かない！

本書は、2015年9月に国際連合サミットで採択された「我々の世界を変革する：持続可能な開発のための2030アジェンダ」が掲げた17の目標と169のターゲットからなる「SDGs（持続可能な開発目標）」について説明していきます。

第1章では、世界中にあるさまざまな問題について考えていきます。世界には196の国（日本が承認している195カ国に日本を加えた数）がありますが、そのうちの146カ国（約74%）は経済と産業の発展がまだ進んでいない「途上国」です。

私たちが暮らす日本は、経済と産業の発展が進んだ「先進国」ですが、世界的に見れば少数派です。日本人のような暮らしは、決して当たり前ではないのです。

今の世界は、貧困、差別、環境問題、戦争など、さまざまな問題・課題を抱えています。途上国のほうが深刻な問題をより多く抱えているかもしれませんが、日本にも貧困や差別、環境問題はあるように、先進国にも問題がないわけではありません。

問題・課題を解決するためには、まずは世界にはどんな問題・課題があるのかを認識することが大切です。

第2章では、SDGsとは何か、何を目指しているのか、「持続可能な開発」とはどういうことなのかなど、基本的なことについて簡単に説明しています。

第3章では、私たちはSDGsについてどう考え、どう行動するべきかについて考えます。

付録では、SDGsの17の目標の中身を詳しく説明しています。

SDGsは、世界中のすべての人々が達成を目指すべき目標です。目標を達成するには、文化や考え方が違う世界中の人々がともに成長しながら、他者を思いやり、協力し合うことが大切です。

このままでは未来の地球は立ち行かないほどの危ない状態です。将来の世界を引っ張っていく今のこどもたちが将来的に理想の世界で暮らせるようにするためには、今からさまざまな問題について考え、周りの人たちと話し合い、取り組んでいくことが大切です。

この本を読んだら小さなことからでも行動に移しましょう。それが大人になったときにより良い未来をつくることになるのです。

【もくじ】

第1章

みんなの周りのさまざまな問題を理解しよう

COLUMN

第2章 国連が決めた世界共通の目標 SDGsって何？

第3章

自分ごととしてSDGsを考えることが大事

COLUMN

付録

SDGsの17の目標をもっとくわしく知る

【もくじ】

第1章

みんなの周りのさまざまな問題を理解しよう

1

学校に通えないこどもが世界にはたくさんいる

世界の5歳〜17歳のこどものほぼ5人に1人の約3億3,000万人が学校に通っていない

出所：ユニセフ「A Future Stolen：Young and out of school」

考えてみよう

- 学校に通えない理由は何だろう？
- 学校に行けないとどんな問題があるだろう？

★学校に行けないこどもは将来、苦労する

新型コロナウイルスの感染拡大によって、行くのが当たり前だと思っていた学校に行けなくなると、これまで学校が面倒だと思っていた人でも「学校に行きたい！」と思った人がいるのではないでしょうか。それでも感染症の流行が収まれば、学校に行けます。

ユニセフ（国連児童基金）の報告書によると、5歳～17歳のこどものうち、5人中1人にあたる3億3,000万人は学校に通えていません。学校に行きたくても行けないのです。

その最大の原因は貧困です。家が貧しく、親を助けるために働かなくてはならないこどもや、水道がない家に住んでいて生きるために毎日、何時間も水汲みをしなければならないこどももいます。なかには、戦争で故郷にいられなくなり、難民になり学校に通えなくなるこどももいます。

勉強する機会がなければ、将来、いい仕事に就ける可能性は低くなります。学校に行けない人は仕事に就けないので、貧しさから抜け出すことが難しくなってしまうのです。

読み書きできない人の数

DATA

読み書きできない人は
7億5,000万人
（世界の15歳以上の6人に1人）

日本人の識字率はほぼ100％で、世界トップクラス。一方、アフリカの国のなかには、識字率が30％以下の国もあります。

出所：ユネスコ

2

新型コロナウイルスが起こったのは人間のせい？

世界で一番密猟されている動物といわれるセンザンコウは、一部の国で珍味、伝統薬の原料として人気

考えてみよう

- 人間の都合で野生動物を絶滅させていいの？
- 動植物がなぜ絶滅しそうなのかを調べてみよう

★新型コロナは動物から人間にうつった!?

新型コロナウイルスは多くの人の命を奪いました。感染拡大を防ぐために、世界中の人々が「ステイホーム(家にいよう)」を合言葉に、外出を自粛したのは記憶に新しいところです。

新型コロナウイルスの感染源ははっきりしていませんが、世界保健機関（WHO）が人にとっての病原菌の少なくとも61%はその起源が人獣共通と指摘しており、新型コロナウイルスも動物由来が疑われています。コウモリ由来のウイルスがセンザンコウに移り、そこから人間に感染したと考える学者もいます。中国やベトナムでは、センザンコウのウロコが伝統薬の材料として使われているのです。

従来、野生動物は人間が住むエリアには姿を見せませんが、人間が森林伐採をしたり、気候変動を引き起こしたことなどによって、野生動物の棲む場所が減少しています。困った野生動物がエサを求めて人里に現れるケースも増えています。人間と野生動物の距離が必要以上に近づいてしまったことで、ウイルスの感染リスクがかつてより高まっていると指摘する声もあるのです。

知っておくべきコトバ

WHO(世界保健機関)

基本的人権である「人間の健康」の達成を目的として設立された国際連合の専門機関。世界の国々が出し合う資金や各種団体の寄付金で運営されています。2020年6月現在、エチオピア人のテドロス・アダノム氏がWHOのトップである事務局長を務めています。

テドロス事務局長

Alexandros Michailidis / Shutterstock.com

3

飢えている人がいるのに、食べものを捨てる人もいる

世界の飢餓人口は、約8億2,000万人。
特にアフリカでは、人口の約3分の1が栄養不良に苦しんでいる

出所：ユニセフ「世界の食料安全保障と栄養の現状 2019年版」

考えてみよう

- ふだん食べものを残したり、捨てたりしていない？
- 食品を大量に輸入して、捨てる日本をどう思う？

★日本人は、食べものを大量に捨てている

食べものを捨てたり、残したりしたことはありませんか。

日本では、年間 2,550 万トンの食品廃棄物が出されています。このうち、まだ食べられるのに廃棄される食品、いわゆる「食品ロス」は 612 万トンもあります。日本人 1 人当たりお茶腕約 1 杯分(約 132g)の食べものを毎日捨てている計算です。この量は 2018 年の世界の食糧援助量(約 390 万トン)の 1.6 倍に相当します。

一方で、世界中で飢餓に苦しむ人はたくさんいます。国連世界食糧計画(国連 WFP)によると、2018 年の世界の飢餓人口は、8 億 2,000 万人。アフリカや南アジアで特に多くなっています。

地球上には世界中の人が食べられるだけの十分な食料があります。それにもかかわらず、9 人に 1 人が飢餓に苦しんでいます。一方、世界全体では生産された食べものの 3 分の 1 も捨てられています。日本国内だけで食料を調達できない日本人は、海外からたくさんの食べものを輸入する一方、たくさん飢えている人がいるのに、大量の食品を捨てている「食品ロス大国」のひとつです。

DATA

日本の食料自給率は たったの37%
(カロリーベース、2018年度)

日本の食料自給率は 37%。つまり、63%は海外から輸入しています。それなのに、たくさんの食べものを捨てているのです。

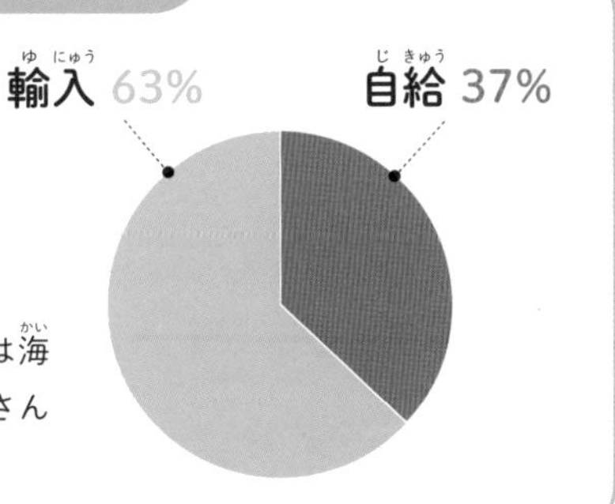

出所:農林水産省

4

1日約200円で生きる人が7億3,666万人もいる

**世界の貧富の差は深刻なレベル！
1日200円以下の生活を強いられる人が
日本の人口の約6倍もいる**

出所：世界銀行

考えてみよう

- 1日200円でどう生活するかをイメージしてみよう
- 絶対的貧困と相対的貧困の違いを理解しよう

★日本は7人に1人のこどもが相対的貧困

世の中にはお金持ちや貧乏な人がいますが、ひとくちに「貧困」といってもその基準はいろいろです。たとえば、世界銀行は「1日1.9ドル（約200円）未満」で暮らす人を貧困層としており、世界で7億3,666万人（2015年）もいるとしています。

1日200円では食べものや洋服、家など、必要最低限の生活必需品を手に入れるのは困難です。このような最低限の暮らしができないほどの貧しさを「絶対的貧困」といいます。

日本でも貧困は問題になっています。その多くは「相対的貧困」と呼ばれるものです。簡単にいうと、自分の国のなかで収入から税金などを引いた手取り年収が中央値（大きい順に並べたときのちょうど真ん中にくる値のこと）の半分以下の人たちが当てはまります。日本の場合は、4人世帯で年収約244万円以下の世帯が相対的貧困になり、7人に1人のこどもが相対的貧困の状態にあります。絶対的貧困とその深刻さは異なりますが、それでもその国で生きていくのに困難がともなう意味で、解決しなければいけない問題です。

主要国の相対的貧困率

日本の相対的貧困率は15.7%（2016年）でG7で2番目に高い

日本の相対的貧困率は15.7%（2016年）。G7（主要先進7カ国）のうち、アメリカに次ぐ2番目に高い比率になっています。

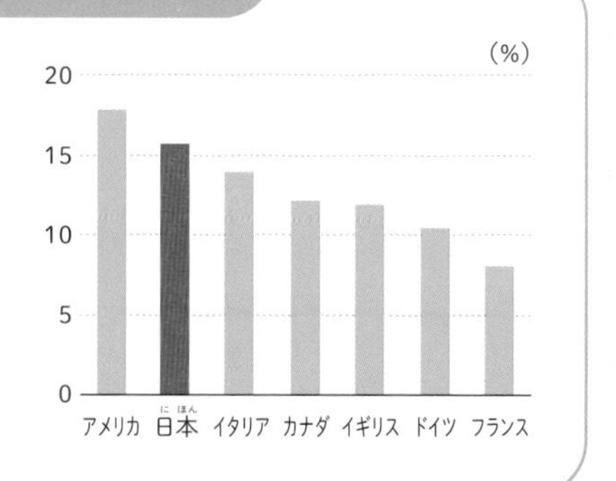

出所：OECD

5

1億4,400万人は、湖や川の汚い水を使う

安全に管理された飲み水を使うことができない人は、世界人口の約38%、約22億人もいる

出所：ユニセフ、WHO「Progress on household drinking water, sanitation and hygiene, 2000-2017」

考えてみよう

- 水が自由に使えないと、どんな不便があるだろう？
- 川や池の汚い水を飲んだらどうなるだろう？

★水道から出る水を飲める国は珍しい

水道の蛇口をひねれば、水が出てくるのは、私たち日本人にとって当たり前のことです。しかし、世界で水道水をそのまま飲める国は、それほど多くありません。日本のような国は珍しいのです。

22億人もの人は、安全に管理された飲み水を使うことができません。しかも、このうちの1億4,400万人は、湖や河川、用水路などの安全ではない水を使わざるを得ない状況に置かれています。サハラ砂漠より南のアフリカ諸国だけでも、約330万人のこどもが、毎日水汲みをしています。なかには重い水を運ぶのに何時間もかけなければいけないため、学校へ行けないこどももいます。

また、30億人は家に石鹸や水が備わった基本的な手洗い設備がなく、42億人が安全に管理されたトイレを使えません。

人間が生きていくうえで、きれいな水を使えることはとても重要です。汚れた水や不衛生な環境は、下痢やコレラなどの病気の原因になります。実際、汚れた水によって下痢になり、命を落とす乳幼児は年30万人もいるのです。

屋外で排せつしている人の数

DATA

屋外で排せつしている人は
6億7,300万人
(世界の人口の約9%)

2017年時点で、道端、野原、海岸などの屋外で排せつする人が世界人口の9%にあたる約6億7,300万人もいます。

出所：ユニセフ、WHO「Progress on household drinking water, sanitation and hygiene, 2000-2017」

6

たくさんの動植物が絶滅している

IUCN（国際自然保護連合）によると、絶滅のおそれがある野生生物は、全世界で約3万1,000種にものぼる

出所：International Union for Conservation of Nature（IUCN）

考えてみよう

- 世界と日本の絶滅危惧種について調べてみよう
- 絶滅危惧種を守る必要があるのだろうか?

★動植物の25%の種が絶滅の危機

畑をつくったり、牧畜をするために、人間は世界中の森林を伐採してきました。2000年から2010年までの平均で1分間に東京ドーム約2個分というスピードで森林が消えています。また、毎年、3億〜4億トンの廃棄物を海や河川に投棄して汚しています。

地球には多種多様な動植物が暮らしていますが、森林伐採や海洋汚染などによって、動植物が暮らす場所を破壊しつづけた結果、25%の種が絶滅の危機にさらされています。このままでは数十年のうちに約100万種の動植物が絶滅するといわれています。

たとえば、増え続ける人口をまかなう食糧を確保するために、魚を乱獲すれば、漁師などの漁業関係者は一時的にお金を儲けられるかもしれません。しかし、乱獲を続ければ魚の数が減り、最悪の場合、絶滅してしまうかもしれません。そうなってから慌てても元に戻すのは大変です。人間は自然の恵みを上手に利用しなければいけないのに、目先の利益だけ考えていると、長い目で見れば動植物だけでなく、人間にとっても得にはならないことは多いのです。

日本の絶滅危惧種

DATA

日本の絶滅危惧種は3,772種にのぼる

絶滅の恐れがある野生生物をまとめた「レッドリスト」は、5年程度で更新され、2020年に発表されたデータでは、日本の絶滅危惧種は3,772種とされています。

絶滅危惧種のヤンバルクイナ

出所：環境省「レッドリスト2020」

7

環境が破壊され、地球温暖化が進んでいる

地球温暖化が進行していることで、
南極の氷がこれまでにない
スピードで溶けている

考えてみよう

- 地球温暖化が進行するとどうなるのだろう?
- どうすれば、地球温暖化を止められるのだろう?

★地球温暖化はさまざまな悪影響を及ぼす

二酸化炭素（CO_2）などの「温室効果ガス」が大気中に放出され、地球全体の平均気温が上昇するのが「地球温暖化」です。

地球温暖化は、さまざまな悪影響を及ぼします。気温が上昇すると、大雨による洪水や干ばつなど、さまざまな動植物の生態系にも被害を及ぼします。そうなれば、農作物の収穫が減り、生物多様性が減少し、絶滅する動物も増えます。

それだけではありません。地球温暖化は気候変動を引き起こすため、乾燥した土地はさらに干ばつが進み、雨の多い地域では洪水が増えるなど、世界的に水資源の格差が拡大するおそれがあるといわれています。また、地球上の氷の90%を占める南極の氷が、地球温暖化によってこれまでにないスピードで溶けており、このままでは海の水位が上がり、陸地面積が減る可能性が指摘されています。

「温室効果ガス」は人間の経済活動によって、石炭や石油、ガスなどの化石燃料を大量に消費したことで増えています。また、CO_2を吸収する森林が減少していることも影響しています。

日本の二酸化炭素排出量

DATA

日本の二酸化炭素排出量は世界の3.4%を占める
（世界で5番目に多い）

日本の二酸化炭素（CO_2）排出量は、中国、アメリカ、インド、ロシアに次ぐ5位で全世界の排出量の3.4%を占めます。

●二酸化炭素排出量
世界の排出量合計／約328億トン

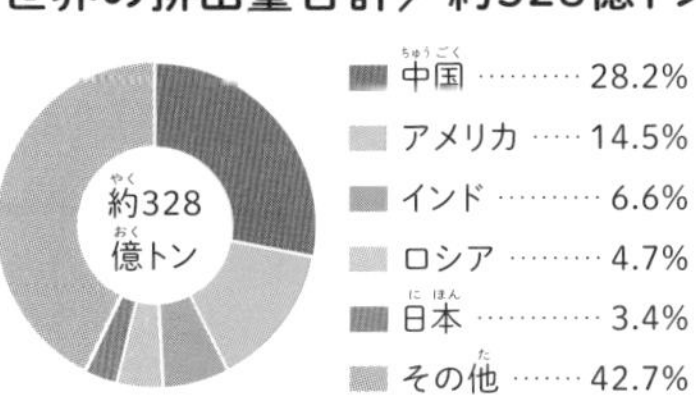

出所：EDMC／エネルギー・経済統計要覧2020年版　　※四捨五入のため、合計が100%にならない

8

人間はお金儲けのために大切なことを犠牲にしてきた

環境や人権を犠牲にしてまで
お金儲けを優先し続けた結果、
企業はさまざまな問題を起こしてきた

考えてみよう

- お金儲けのために環境を破壊してもいい?
- お金儲けのために人権を無視してもいい?

★お金儲けと環境はどっちが大切か

人類は経済を発展させるために、環境や人権を犠牲にしてきました。モラルに反した行為や違法行為を行うこともありました。しかし、私たちが住む地球の環境を破壊すれば、その恵みを享受できなくなります。お金儲けを優先して環境を破壊することは、自らの首を締める行為であることに気づくべきときがきています。

また、大企業がお金儲けのために、立場の弱い途上国のこどもや貧しい人たちを、ひどい環境で低賃金で働かせて、莫大な利益を上げるケースもあります。

利益を上げる企業は、一面では優秀な企業かもしれません。しかし、その裏で環境を破壊したり、貧しい人に不当な低賃金しか支払っていないことを人々が知ったらどう思うでしょう。たとえ低価格で素晴らしい商品でも素直に喜べないのではないでしょうか。

次ページからは、かつて大企業が起こした問題について説明します。人間は間違いを犯すものです。大切なのは、その間違いを繰り返さないようにすることです。

知っておくべきコトバ

人権

人権は、人種や民族、性別に関係なく、私たちが幸せに生きるために誰にでも認められる基本的な権利です。しかし、現在も女性、黒人、障害者などに対する差別、不特定多数の人に匿名で情報発信ができるインターネットによる誹謗中傷など、さまざまな人権侵害が生じています。

人種差別と闘ったキング牧師

Alexandros Michailidis / Shutterstock.com

9

企業が起こした公害で今も多くの人が苦しむ

大気汚染や水質汚染などの公害により、世界では年間で推定約900万人が死亡している

Augustine Bin Jumat / Shutterstock.com

考えてみよう

- なぜ公害は起こるのだろうか?
- 日本で起きた公害について調べてみよう

★高度経済成長期に起こった「四大公害」

日本では高度経済成長期に公害問題が起こりました。代表的な例が熊本県水俣湾周辺を中心とする八代海沿岸で発生した「水俣病」です。化学工場から海や河川に排出されたメチル水銀化合物が魚介類の体内に蓄積し、それらを日常的に食べた住民に発生した中毒性の神経疾患です。1956年に初めて患者の発生が報告され、その年に52人の患者が確認され、「水俣病」と呼ばれるようになりました。

このほかにも新潟県阿賀野川流域で発生した「第二水俣病」、富山県神通川流域で発生した「イタイイタイ病」、三重県四日市市で発生した「四日市ぜんそく」が「四大公害」として大きな社会問題になりました。いずれも企業が周辺の住民や環境に配慮せず、産業活動により排出される有害物質を垂れ流したり、大気に放出したことで深刻な健康被害を出しました。このように日本が経済成長した裏には、多くの人や環境を犠牲にした歴史があります。

現在は、経済成長著しい中国やインドを中心に途上国で公害が健康や環境に悪影響を及ぼしており、問題になっています。

知っておくべきコトバ

典型7公害

環境基本法によると、事業活動によって相当範囲にわたって人の健康、生活環境に被害を生じさせるのが公害です。なかでも、①大気汚染、②水質汚濁、③土壌汚染、④騒音、⑤振動、⑥地盤沈下、⑦悪臭は、「典型7公害」と呼ばれています。

公害を起こした四日市の工場群

10

有名企業の商品が児童労働でつくられていた

義務教育を妨げられたり、法律で禁止された危険・有害な労働をする18歳未満のこどもは世界にたくさんいる

Sk Hasan Ali / Shutterstock.com

考えてみよう

- どうしてこどもは労働してはいけないのだろうか?
- こどもがつくった製品を買うべきだろうか?

★大企業でも間違いを犯すことがある

今から20年以上前の1997年に、世界中で誰もが知るスポーツウェアやスニーカーが人気のスポーツブランドの不買運動が起こったことがありました。

その会社はアメリカ企業ですが、当時、人件費が安いインドやパキスタンの工場にサッカーボールをつくってもらっていました。企業が利益を出すために、賃金が安い国で製品をつくることはよくあることです。問題となったのは、その工場でこどもが働かされていたこと（児童労働）や、劣悪な環境で不当に低い賃金で長時間働かされている人がいたことです。製造をお願いしていた工場が学校へ行くべきこどもを働かせていたのですが、そこでつくられた商品を販売して利益を上げていたのはナイキです。その事実が明るみに出たことで、世界各国で「こどもたちを働かせてつくったナイキの製品は買わない！」と不買運動が起こりました。

その後、ナイキは同じ過ちを二度と繰り返さないように、労働条件・就労環境改善を約束することになりました。

世界の児童労働者の数

DATA

児童労働をするこどもの数は
1億5,162万人
（5歳～17歳の約10人に1人）

2016年時点で1億5,162万人のこども（5歳～17歳）が児童労働者で、そのうち約7,252万人が危険労働に従事しています。

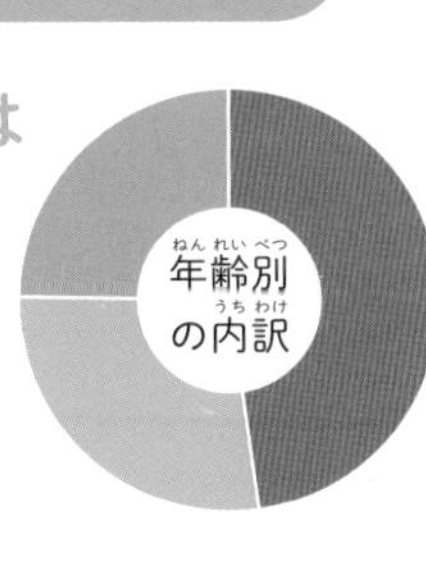

- 5歳～11歳 48%（7,259万人）
- 12歳～14歳 28%（4,189万人）
- 15歳～17歳 24%（3,715万人）

出所：ILO（国際労働機関）「Global Estimates of Child Labour：RESULTS AND TRENDS, 2012-2016」

11

世界的企業が起こした労働問題

日本には、勤務問題を原因・動機のひとつとする自殺者が2018年に2,018人もいた

出所：厚生労働省　humphery / Shutterstock.com

考えてみよう

- 仕事を理由に自殺をしてしまうのはなぜだろう？
- 企業は従業員の命を守らなくていいのだろうか？

★劣悪な労働環境のため、死を選ぶ人もいる

iPhoneやiPadで有名なアップルは、世界でも5本の指に入る大企業です。アップルが出すスマホやパソコンは世界中の人から賞賛されています。

アップルは、製品の大半をフォックスコンという台湾企業に委託して製品をつくっています。フォックスコンは中国に大きな工場をもっていますが、そこで問題が起こりました。

劣悪な労働環境で働かされていた従業員の自殺が相次いだほか、工場で爆発が起こるなど、さまざまな問題が明らかになったのです。また、極端な長時間労働や残業代未払いなど、労働法に反する行為が労働監視団体である公正労働協会から指摘されました。

「過労死」という言葉があるように、日本でも働きすぎによって命を落とす人がいます。人は幸せに生きるために働いているはずです。それなのに、度を超した長時間労働によって肉体的にも精神的にもおかしくなり、自殺に追い込まれるのはあまりにも不幸なことです。

知っておくべきコトバ

過労死

長時間労働や仕事上の重い作業負荷などによる過労・ストレスによって、うつ病など精神疾患を発症して自殺してしまったり、脳・心臓疾患などで死に至ることです。日本で最初に問題になったことから、英語の辞書にも「karoshi」という言葉が掲載されています。

12

環境や人権に配慮しないと人々にそっぽを向かれる

米映画会社ワインスタイン・カンパニーは経営者の女性へのセクハラ問題をきっかけに倒産することになった

lev radin / Shutterstock.com

考えてみよう

- 人に嫌なことをしてまで、お金を稼ぎたい？
- お金を稼ぐのと、環境、人権は両立できると思う？

★環境と人権を守りながらお金を稼ぐ

これまで人間の経済活動（＝お金儲け）によって、さまざまな問題が起こりましたが、生きていくにはお金が必要です。そのお金を稼ぐことは悪いことなのでしょうか。

たしかに、四大公害などを引き起こし、多くの人に健康被害を与えた企業や、途上国のこどもに商品をつくらせていた企業のように、環境や人権よりもお金儲けを優先するような過ちを犯す企業はあります。しかし、それらの企業は多額の賠償金を被害者に支払ったり、不買運動を起こされて評判を落としたりして、社会的な制裁を受け、大きな代償を払いました。環境や人権に配慮しない企業は信用を失って、消費者からそっぽを向かれるということです。実際、経営者のセクハラ行為が明るみに出たことで社会的信用が失墜して倒産したワインスタイン・カンパニーのような企業もあります。

企業がつぶれないために、お金を稼ぐことは悪いことではありません。お金儲けをするにも環境や人権に配慮する必要があるということです。

知っておくべきコトバ

#MeToo運動

ワインスタイン・カンパニーの経営者ハーヴェイ・ワインスタインが女優などに行っていたセクハラや性的暴行が発覚すると、SNSで「私も」と被害を告発する「#MeToo（私も）運動」が盛り上がり、社会問題に。それがきっかけで同社は経営悪化し、倒産に追い込まれました。

Sundry Photography / Shutterstock.com

13

自分が恵まれていれば、周りはどうでもいい？

生まれた国が違うだけで
同じこどもでも置かれている境遇に
ずいぶんと大きな差がある

考えてみよう

- 兵士になるこどもの気持ちを想像してみよう
- 自分は恵まれている？　恵まれていない？

★学校に行けず、兵士になるこどももいる

世界には学校に行けないこどもがたくさんいます。紛争地帯では、自分が住んでいた土地を追われて難民になっている人がいます。家が貧しくて満足に食事ができない人もいます。

また、中東やアフリカには、小学校に行くはずの年齢なのに、「こども兵士」として銃を持ち戦場の最前線に立つ少年少女がいます。誘拐されたうえに爆弾を巻きつけられ、"人間爆弾"として市場の中で爆発させられた少女もいます。

一方、日本に生まれた私たちは、義務教育でこども全員が学校に行けますし、戦争はありません。飢え死にしそうな人もあまりいませんし、YouTubeを見て楽しんでいる人もいるでしょう。

生まれた国や家が違うだけで、大きな格差があるのが今の世界の現実です。これほどまでに苛酷な格差を放置してもいいのでしょうか。恵まれない環境に生まれたこどもたちは、学校に行けないことや、いつも空腹であることを受け入れなければいけないのでしょうか。

イエメンで兵士になったこどもの数

DATA

中東の国イエメンでは
2015年3月の紛争激化後
約1,500人が兵士に

イエメンでは、学校にいくべき15才前後の少年が兵士として勧誘され、鉛筆でなく銃を持たされて戦場に立っています。

anasalhajj / Shutterstock.com

14

同じ地球に生まれたのに こんなに差があっていいの?

2,153人の億万長者が持つ富は、
世界の人口の約6割にあたる
46億人が持つ富の合計よりも大きい

出所:オックスファム・インターナショナル

考えてみよう

- お金持ちと貧しい人の差についてどう思う?
- 自分の周りで貧富の差を感じることがある?

★世界には想像を超えるような格差がある

今、世界に存在するさまざまな格差が問題になっていますが、その代表的なものは、お金持ちとそうでない人の経済格差です。

国際NGOオックスファム・インターナショナルの報告書によると、世界の10億ドル（約1,100億円）以上の資産を持つ人の数が過去10年間で倍増しているといいます。2019年時点で、地球に住む約77億人のおよそ6割にあたる46億人の富よりも、世界で最もお金持ちのたった2,153人の富のほうが大きいといいます。また、世界で最も裕福な22人の男性の富の合計は、アフリカのすべての女性が持つ富よりも大きいそうです。

一方で、同じ報告書では、世界人口の約半分は1日5.5ドル（約600円）以下で生活しているといいます。

日本でもお金持ちとそうでない人の差を感じることがあるでしょう。しかし、世界全体で見ると、日本では考えられないほどの極端な差があるのです。これほどの格差があることは、当たり前のことなのでしょうか。それともおかしいことなのでしょうか。

世界でいちばんのお金持ち

DATA

Amazon創業者の純資産は
約12兆3,000億円
（1,130億ドル）

アメリカの雑誌『フォーブス』によると、2019年の世界一のお金持ちは、アマゾンの創業者ジェフ・ベゾス氏でした。

ジェフ・ベゾス氏

lev radin / Shutterstock.com

15

あなたが今から世界の誰かと入れ替わるなら?

世界で最も男女平等が進んでいる
アイスランドでさえ、
男女の完全平等は実現していない!

考えてみよう

- 自分が本当に望む世界について考えてみよう
- 「もし貧しい国に生まれたら」を想像してみよう

★本当に自分が望む世界を考えてみよう

アフリカや南アジアには飢餓に苦しむ人がたくさんいます。「自分は日本に生まれてよかった」と思うかもしれません。自分の家が裕福なら「この家でよかった」、貧しければ「お金持ちに生まれたかった」と、今の状況に応じて、あなたもいろいろ考えるでしょう。世の中は平等を目指していますが、生まれた国や家によって、置かれる状況は大きく異なるのが現実です。ここで、もしあなたが誰かと入れ替わるとしたら、誰になりたいかを考えてみましょう。

とはいえ誰になるかを選ぶことはできませんから、安全に管理されたトイレが使える35億人よりも使えない42億人に入れ替わる可能性のほうが高く、36ページで述べた、富を持つ2,153人に入れ替わる可能性はかなり低いでしょう。

誰になるかを選べない以上、大きな格差がないみんなが豊かに暮らす平等な世界に生まれたいはずです。男か女かどちらに生まれるかわからなければ、男女格差がある世界を望まないはずです。それが、あなたが本当に望んでいる世界なのかもしれません。

また日本に生まれたいと思う日本人の割合

DATA

生まれ変わるときに また日本に生まれたい人は 83%（2013年）

もう一度生まれ変わるとしたら「日本に生まれてきたい」と思う日本人は83%。その比率は高齢者ほど高くなっています。

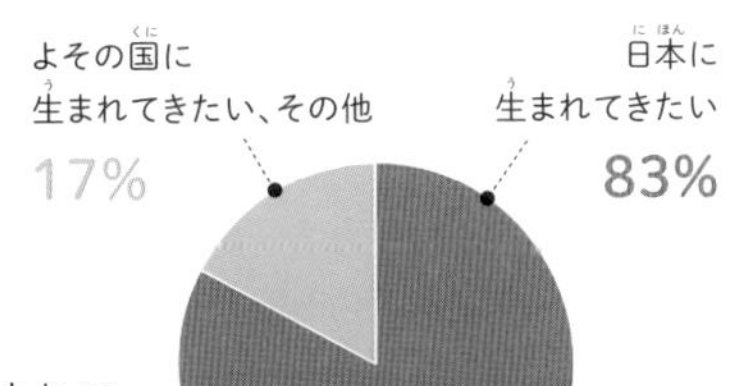

出所：統計数理研究所「日本人の国民性調査　第13次全国調査」

COLUMN

タイには18種類もの性別がある!?

東南アジアの国タイは、LGBT（性的少数者の総称）に対する差別が少なく、性別の多様性に寛容といわれています。この国には、以下の18種類の性別があるそうです。大切なことは、どの性別の人も尊重されるべき存在であるということです。

❶男性（女性が好きな男性）、❷女性（男性が好きな女性）、❸トム（男性の格好をした、女性もしくはディーが好きな女性）、❹ディー（男っぽい女性やトムが好きな女性）、❺トムゲイ（女性もトムもディーも好きになる女性）、❻トムゲイキング（トムが好きな男っぽいトム）、❼バイ（バイセクシャル、トム、レズビアン、男性を好きな女性）、❽ボート（女性、ゲイクイーン、ゲイキングを好きになることがある男性）、❾ゲイクイーン（男性が好きな女らしい男性）、❿ゲイキング（男性が好きな男らしい男性）、⓫トムゲイツーウェイ（トムキングにもトムゲイクイーンにもなるトム）、⓬トムゲイクイーン（トムが好きな女っぽいトム）、⓭レズビアン（女性が好きな女性）、⓮オカマ（女性になりたい男性）、⓯アダム（トムを好きな男性）、⓰アンジー（トムを好きな女装した男性）、⓱チェリー（ゲイクイーン、ゲイキングとオカマが好きな女性）、⓲サムヤーン（女性もレズビアンもトムも好きになる女性）

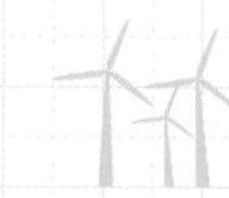

第2章

国連が決めた世界共通の目標SDGsって何？

1

SDGs（持続可能な開発目標）とは？

【目標1】
貧困をなくそう

【目標2】
飢餓をゼロに

【目標3】
すべての人に健康と福祉を

【目標4】
質の高い教育をみんなに

【目標5】
ジェンダー平等を実現しよう

【目標6】
安全な水とトイレを世界中に

【目標7】
エネルギーをみんなに そしてクリーンに

【目標8】
働きがいも経済成長も

【目標9】
産業と技術革新の基盤をつくろう

【目標10】
人や国の不平等をなくそう

【目標11】
住み続けられるまちづくりを

【目標12】
つくる責任 つかう責任

【目標13】
気候変動に具体的な対策を

【目標14】
海の豊かさを守ろう

【目標15】
陸の豊かさも守ろう

【目標16】
平和と公正をすべての人に

【目標17】
パートナーシップで目標を達成しよう

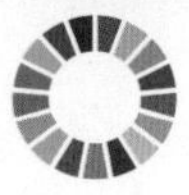

出所：国連

★2030年までに達成を目指す世界の目標

世界は、貧困、人種差別、環境破壊など、さまざまな問題に直面しています。こうした地球規模の問題を解決するために、「誰一人取り残さない」という共通理念のもと、国際連合（国連）が加盟193カ国が達成を目指す2030年までの国際目標として定めたのがSDGsです。SDGsは、「Sustainable Development Goals（持続可能な開発目標）」という英語の頭文字をとった略称で、左ページのように17の目標が決められています。

たとえば、目標①は「貧困をなくそう」、目標②は「飢餓をゼロに」、目標④は「質の高い教育をみんなに」と、さまざまな目標が設定されています。「貧困をなくそう」が目標になったのは、「なくすべき貧困がある」ということです。「飢餓をゼロに」が目標なのは、「飢餓で苦しむ人がいる」からです。17の目標は、今の地球には多くの問題があることを示しているのです。

なお、17の目標の具体的な内容については、「付録（103ページ）」で紹介しています。

知っておくべきコトバ

国際連合（国連）

国連は、「国際の平和と安全の維持」「国家間の友好関係を育てる」「国際問題の解決と人権尊重の促進に協力する」「各国の行動を調和させるために中心的役割を果たす」という4つの目的のために、1945年に設立されました。本部はアメリカのニューヨークにあります。

国際連合旗

2

SDGsには17の目標、169のターゲットがある

あらゆる場所のあらゆる形態の貧困を終わらせる

目標の中身に関するターゲット

1.1	2030年までに、1日1.25ドル未満で生活する極度の貧困をあらゆる場所で終わらせる
1.2	2030年までに、貧困状態にある人の割合を半減させる
1.3	2030年までに、貧困層及び脆弱層に対し十分な保護を達成する
1.4	2030年までに、すべての人に金融サービス、経済的資源の平等な権利を確保する
1.5	2030年までに、貧困層や脆弱な状況にある人々の経済、社会、環境的ショックや災害に対する脆弱性を軽減する

出所：国連

★「目標」よりも具体的なのが「ターゲット」

SDGsの17の目標には、それぞれに「より具体的な未来の理想像」を示した、より具体的な169の「ターゲット」が設定されています（103ページ「付録」参照）。たとえば、目標①のターゲットは、「1.1、1.2……」「1.a、1.b……」、目標②のターゲットは「2.1、2.2……」「2.a、2.b……」のように、数字だけのものと数字とアルファベットで表記される2タイプがあります。とくに知っておきたいのは、「1.1、1.2……」と数字のみで表記される「目標の中身に関するターゲット」です。

たとえば、目標①「貧困をなくそう」のターゲットを見ると、「1.1」には「1日1. 25ドル未満で生活する極度の貧困を終わらせる」、「1.2」には「2030年までに、貧困状態にある人の割合を半減させる」と書かれています。ターゲットまで見ると、それぞれの目標が具体的に何を目指しているかがよくわかるはずです。

17の目標のターゲットについては付録（103ページ）で説明します。

知っておくべきコトバ

脆弱

「もろくて弱いこと」が「脆弱」です。「脆弱層」とは、大多数の他者と比較して著しく不利な、あるいは不利益な境遇に立たされる人や集団を指します。仏教徒が主体のミャンマーで激しく迫害されているイスラム系少数民族ロヒンギャの人々は脆弱層といえます。

国を追われるロヒンギャの人々

Sk Hasan Ali / Shutterstock.com

3

ところで「サステナブル」って何？

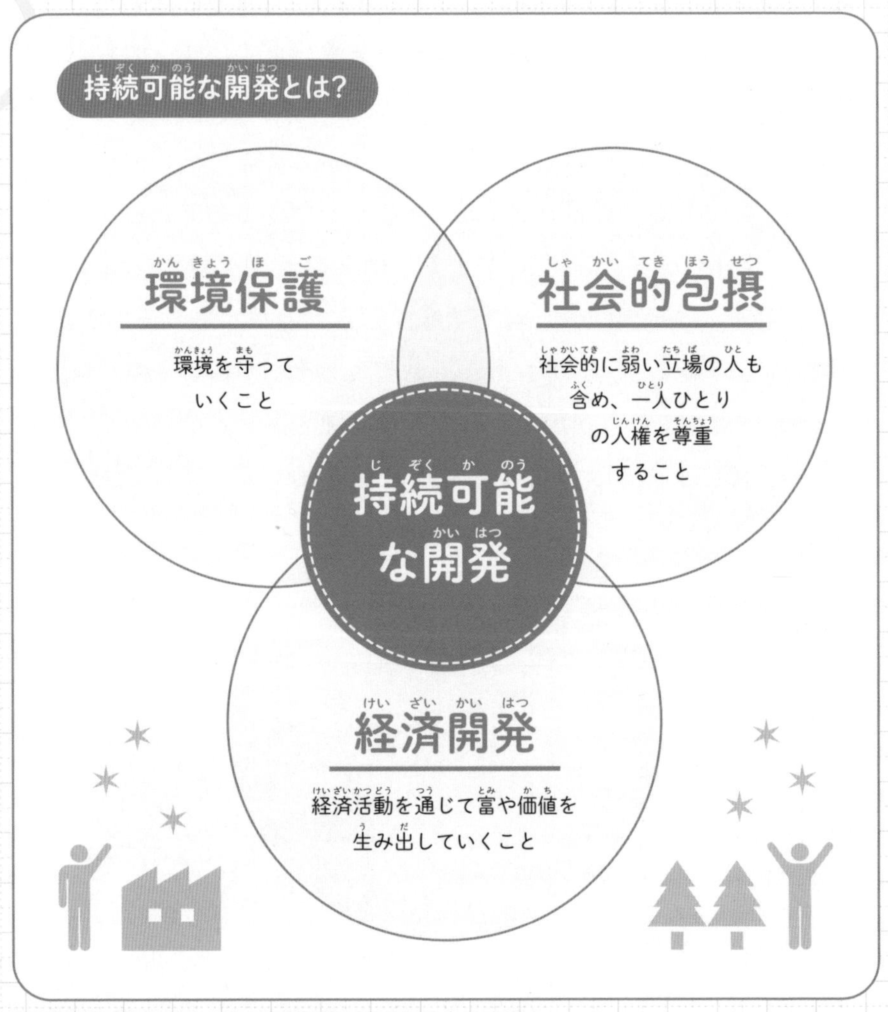

出所：持続可能な開発目標（SDGs）推進本部「持続可能な開発目標（SDGs）実施指針」

★「持続可能性」がキーワード

SDGsの「S」は、Sustainableの頭文字ですが、「sustain（持続する）」と「able（～できる）」という英語からなる言葉で、「持続可能な」「ずっと続けていける」という意味です。

今、世界はSDGsを達成することで「サステナブルな開発」、つまり「持続可能な開発」を目指しています。左ページのように、「持続可能な開発」は、「環境保護」「社会的包摂」「経済開発」の3要素の調和が求められています。簡単にいえば、環境を守り、すべての人の人権を尊重しながら経済成長をしていくことです。逆にいえば、3要素のいずれかが欠ければ、持続可能とはいえません。

たとえば、埋蔵量が限られている石油を使い続けて枯渇すれば、石油を使った火力発電はできません。一方、太陽光発電ならいくら使っても太陽はなくなりませんし、石油のように二酸化炭素を出しません。石油は持続可能ではありませんが、太陽光は持続可能性が高いといえます。このようにさまざまなことについての持続可能性を考えるのがSDGsです。

知っておくべきコトバ

社会的包摂

「社会的包摂」は難しい言葉ですが、「社会的排除」が反対の概念であると考えるとわかりやすいかもしれません。こども、障害者、高齢者、難民、移民などの弱い立場の人々が排除されずに社会に参加して、それぞれが持つ潜在的能力を発揮できる環境を整備することです。

ソマリアの難民キャンプ

hikrcn / Shutterstock.com

4

なぜSDGsに取り組む必要があるの?

出所:Will Steffen et al.「Planetary boundaries : Guiding human development on a changing planet」、環境省

★このままでは地球がもたない！

では、なぜSDGsに取り組む必要があるのでしょうか。

ズバリ、このままでは地球がもたないからです。人間が利益だけを考えて環境破壊を続ければ、生物多様性はなくなり、将来的に自然の恵みを享受できなくなります。経済も大切ですが、環境をないがしろにすれば、人間に必ず悪影響が及びます。

左ページの「プラネタリー・バウンダリー（地球の限界）」では、地球はすでにいくつかの点で限界に達していると警告しています。たとえば、日本から見て地球の裏側にあるアマゾンの熱帯雨林は、「地球の肺」といわれ、地球の空気をきれいにする役割を果たしていますが、開発のためにどんどん伐採されています。

地球の裏側で起こっていることでも、同じ「地球の住人」と考えれば他人事ではありません。「自分たちさえよければいい」とは言っていられないはずです。そう考えれば、SDGsは私たち人類と地球を守るために達成しなければいけない目標であることを実感できるのではないでしょうか。

知っておくべきコトバ

生物多様性

簡単にいえば、バラエティに富んだ生命が存在しているのが「生物多様性」です。しかし、自然環境の悪化で野生動物の棲む場所が失われたり、絶滅するなど、急速に生物多様性が失われています。私たち人間も多くの生物と関わって生きていることを忘れてはいけません。

5

SDGsの「5つのP」とは?

❶ People（人間） 貧しさを解決し、健康に

❷ Prosperity（豊かさ） 経済的に豊かで、安心して暮らせる世界に

❸ Planet（地球） 自然と共存して、地球の環境を守る

❹ Peace（平和） 争いのない平和を知ることから実現

❺ Partnership（パートナーシップ） みんなが協力し合う

出所：国際連合広報センター「SDGsを広めたい・教えたい方のための『虎の巻』」より作成

★SDGsが目指すものは5つに分けられる

SDGsを理解するためには、「5つのP」で考えると17の目標が整理され、理解しやすくなります。5つのPを簡単にまとめると以下のようになります。

① People（人間）……すべての人の人権が尊重され、平等に。貧困と飢餓を終わらせ、ジェンダー平等を達成し、すべての人に教育、水と衛生、健康的な生活を保障する。

② Prosperity（豊かさ）……すべての人が豊かで充実した生活を送れるようにし、自然と調和する経済、社会、技術の進展を確保する。

③ Planet（地球）……持続可能な消費と生産、天然資源の持続可能な管理、気候変動への緊急対応などを通じ、地球の劣化を防ぐことにより、現在と将来の世代のニーズを支えられるようにする。

④ Peace（平和）……平和、公正で、恐怖と暴力のない、すべての人が受け入れられ、参加できる包摂的な世界を目指す。

⑤ Partnership（パートナーシップ）……世界の人々の連帯強化の精神に基づき、グローバルなパートナーシップにより実現を目指す。

知っておくべきコトバ

パートナーシップ

パートナーシップとは、「協力関係、協力、提携」という意味の言葉です。SDGsは、誰か一人が頑張っても達成できません。一人よりたくさんの人、ひとつの国よりたくさんの国といったように、全世界の人々のパートナーシップがSDGs達成にとって不可欠です。

6

このままではSDGsの達成は難しい

SDGsのおもな達成状況

2015年時点で、1日1.90ドル未満で暮らす極度の貧困状態にある人は7億3,600万人

栄養不良の人々の数は、2015年の7億8,400万人から2017年時点で、8億2,100万人へと増大した

南アジアでは、女児がこどものうちに結婚するリスクが2000年以来、40%以上も低下した

2017年の時点で、7億8,500万人が依然として、基本的な飲料サービスを受けらておらず、6億7,300万人が屋外排せつを行っている

2017年の時点で、8億4,000万人が電力を利用できていない。そのうち87%は農村部に暮らしている

出所：国際連合広報センター「持続可能な開発目標（SDGs）報告2019」

★急がなければ、達成はほど遠い

国連は、毎年、SDGsがどれだけ達成されているのかをレポートで公表しています。2019年6月に公表された「2019年版」では、「人々の生活は概して、10年前よりも改善していますが、（中略）2030アジェンダの目標を達成できる速度では進んでいません」と、予定どおりにいっていないと指摘しています。

世界人口のうち電力が利用できる人々の割合は、2010年の83%から2017年には89%に増えました。これは喜ばしいことですが、残りの11%（約8億4,000万人）は電力なしで暮らしています。

逆に悪化しているものもあります。目標②「飢餓をゼロに」では、全世界で栄養不良状態にある人々の数は、2015年の7億8,400万人から2017年には8億2,100万人へと増えています。

SDGsは「誰一人取り残さない」を目指しています。たとえ状況が改善して電力を使える人が増えても、使えない人が一人でもいてはいけないのです。そう考えると、理想の未来のためにやるべきことがまだまだたくさんあることがわかります。

知っておくべきコトバ

2030アジェンダ

アジェンダは「取り組むべき課題」「行動計画」という意味で使われる言葉です。「2030アジェンダ（我々の世界を変革する：持続可能な開発のための2030アジェンダ）」は、2015年9月に国連本部で開催された「国連持続可能な開発サミット」で採択されたSDGsの行動計画です。

国連持続可能な開発サミット

Drop of Light / Shutterstock.com

7

SDGsのもとになった MDGs（ミレニアム開発目標）

目標❶…極度の貧困と飢餓の撲滅

ターゲット　1990年から2015年までに、1日1ドル未満で生活する人々の割合を半減させる。

目標❷…初等教育の完全普及の達成

ターゲット　2015年までに、すべてのこどもたちが、男女の区別なく、初等教育の全課程を修了できるようにする。

目標❸…ジェンダー平等の推進と女性の地位向上

ターゲット　できれば2005年までに初等・中等教育において、2015年までにすべての教育レベルで、男女格差を解消する。

目標❹…児童死亡率の引き下げ

ターゲット　1990年から2015年までに、5歳未満児の死亡率を3分の1に削減する。

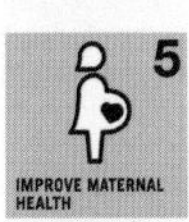

目標❺…妊産婦の健康の改善

ターゲット　2015年までに妊産婦の死亡率を1990年の水準の4分の1に引き下げる。

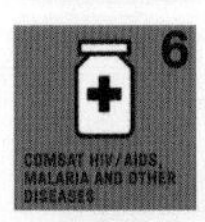

目標❻…HIV／エイズ、マラリア、その他の疫病の蔓延防止

ターゲット　2015年までに、HIV／エイズの蔓延を阻止し、その後、減少させる。

目標❼…環境の持続可能性の確保

ターゲット　持続可能な開発の原則を各国の政策やプログラムに反映させ、環境資源の喪失を阻止し、回復を図る。

目標❽…開発のためのグローバルなパートナーシップの構築

ターゲット　開放的で、ルールに基づいた、予測可能でかつ差別のない貿易および金融システムのさらなる構築を推進する。

出所：国連

★SDGsで全世界が取り組む問題になった

「貧しい人たちはかわいそうだから助けよう」と考えることは悪いことではありませんが、SDGsは「豊かな先進国が貧しい途上国を助ける」という単純なものではありません。

じつは、2015年にできたSDGsの前に8つの目標からなるMDGs（ミレニアム開発目標、左ページと「知っておくべきコトバ」参照）がありました。これは主に先進国が主導して2015年までに達成すべき途上国の目標を設定したものでした。

極度の貧困に陥っている人の数が19億人（1990年）から8億3,600万人（2015年）へと半数以下に減少するなど、一定の成果を上げましたが、すべての目標は達成できなかったため、残された課題はSDGsに引き継がれています。

SDGsとMDGsの大きな違いは、世界規模の課題が増えてきたことを受けて、SDGsが先進国も含めた全世界で取り組むべき目標として設定されたことです。つまり、すべての国や人が問題・課題を解決しなければならない当事者になったのです。

知っておくべきコトバ

MDGs（ミレニアム開発目標）

2000年9月に採択された「国連ミレニアム宣言」を基にまとめられた国際社会共通の目標がMDGsです。極度の貧困と飢餓の撲滅など、2015年までに達成すべき8つの目標を掲げましたが、達成できなかった目標も多く、その内容はSDGsに引き継がれています。

MDGsのロゴマーク

8

SDGsに無関係な人は誰一人いない

SDGsは「誰一人取り残さない」世界の実現を目指している！

★世界は想像以上につながっている！

国連が定めた世界共通の目標であるSDGsは「誰一人取り残さない」世界の実現を目指しています。簡単にいえば、世界中のすべての人が水道や電気が使えて、学校に行き、食事に困らないようにならなければいけないのです。

日本を含むG7（主要先進7カ国）のような国では、その多くが満たされていますが、自分さえ満たされていれば、他人がどうであれ関係ないと考えていいのでしょうか。

たとえば、日本は世界中にさまざまなものを輸出していますが、貧困に苦しむ国の人が食事に困らなくなり、やりがいのある仕事に就いて収入が上がれば、日本の自動車を買ってくれるようになるかもしれません。遠くの国の人が海にごみを捨てれば、日本に流れ着いて海洋汚染の原因になるかもしれません。

想像力を働かせていくと、世界中の人々はつながっていることが見えてくるはずです。だからこそ世界中の人が力を合わせる必要がありますし、誰一人としてSDGsに無関係な人はいないのです。

知っておくべきコトバ

G7（主要先進7カ国）

フランス、アメリカ、イギリス、ドイツ、日本、イタリア、カナダの7つの先進国のことです。かつてはロシアを含めたG8でしたが、2014年にウクライナが統治するクリミア半島の主権と領土をロシアが侵害した問題を受け、ロシアの参加が停止されています。

G7の国旗

9

SDGsではさまざまな問題の同時解決を目指す

食品削減の事例で同時解決を考える

食べきれない魚は獲らない！
乱獲している会社・国の魚は買わない！

同時達成

ターゲット12.3（117ページ参照）

世界全体の一人当たりの食品の廃棄を小売・消費レベルにおいて半減させ、収穫後損失等の生産・サプライチェーンにおける食品の損失を減少させる

同時達成

期限切れになる前の食品を
こども食堂に寄付して食べてもらう

食品ロス削減がどの目標につながるかを
想像力を働かせながら考えてみよう！

出所：環境省

★全目標の達成に近づくように努力する

SDGsを考えるうえで、ある目標を達成するために、ほかの目標を犠牲にすることは避けなければいけません。

たとえば、仕事がない貧しい人を貧困から救うために、森林を伐採して畑をつくろうと考えたとします。畑ができて、農作物がつくれるようになれば、貧しい人の収入が増えるかもしれません。しかし、むやみに森林を伐採すれば、目標⑮「森の豊かさも守ろう」の達成とは反対の動きになってしまいます。伐採したら植林したり、休耕地を利用するなど、他の目標を犠牲にしないように配慮や工夫しなければいけないのです。

SDGsの17の目標は、それぞれが複雑に関係し合っているため、複数の目標を同時に達成することが求められています。たとえば、「食品ロスの減少」は目標⑫に貢献しますが、目標②「飢餓をゼロに」や、目標⑭「海の豊かさを守ろう」の達成にもつながります。そのときに重要なのが、みんなとの協力です。1人より2人、2人より3人で取り組んだほうが大きな結果が期待できるからです。

SDGsの認知度調査

DATA

日本国内でのSDGs認知度は調査対象の28カ国中28位で最下位

2019年9月に世界経済フォーラムが発表したSDGs認知度調査で、日本における認知度は28カ国中28位。世界から遅れをとっています。

	よく知っている
インド	55%
中国	52%
アメリカ	20%
ドイツ	17%
日本	8%
世界平均	28%

出所：世界経済フォーラム

10

貢献できそうなことから始めよう

日常生活でもできることはたくさんある！
自分ができることを考えて行動しよう！

★すべての目標に取り組む必要はない

SDGsには17の目標がありますが、最初からすべての目標に取り組む必要はありません。SDGsのなかには国や企業でないと取り組めないような大きな目標もありますから、まずは「できること」「できそうなこと」から取り組めばいいのです。

それでも個人でできることはたくさんあります。たとえば、節水を心がければ、目標⑥「安全な水とトイレを世界中に」、買い物のときにエコバッグを使えば、海に流れ込むプラスチックの削減につながり、目標⑭「海の豊かさを守ろう」に貢献できます。

また、SDGsをまだ知らない友だちにSDGsのことを教えてあげれば、いずれの目標にも当てはまらないかもしれませんが、SDGsの普及に貢献していると考えることもできます。SDGsは自分でできることを考えながら行動することが大事です。

そもそも17の目標のすべてに取り組もうとしても、それが難しいことに気づくはずです。まずは貢献できる目標について取り組み、持続可能な発展につながるようにすればいいのです。

知っておくべきコトバ

エコバッグ

これまで大量消費されてきたレジ袋は、2020年7月1日から全国で一律に有料化されることになりました。使い捨てのレジ袋の代わりとして、繰り返し使えるような買い物用の袋がエコバッグです。最近ではおしゃれなもの、機能性に優れたものも増えています。

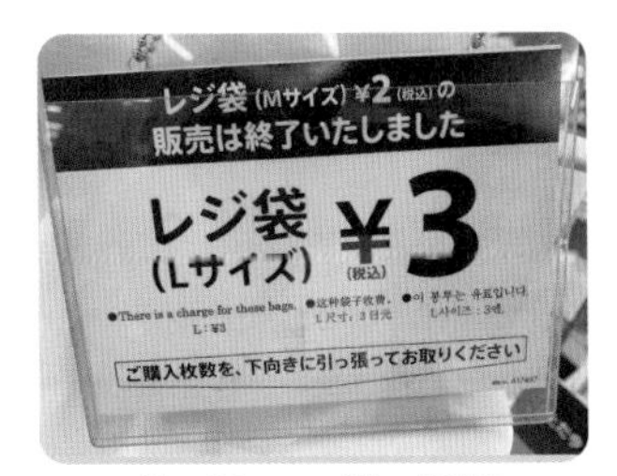

2020年7月、レジ袋は有料に。

retirementbonus / Shutterstock.com

11

日本のSDGs達成度は世界15位

日本のSDGsの達成度（2019年）

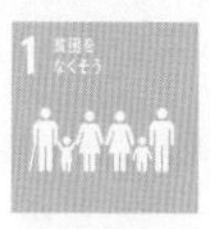

現状の評価　達成にはほど遠い　課題が多い　達成に近いが課題あり　達成できている

現状の傾向　悪化　現状維持　改善　達成もしくは達成予定　不明

出所：SDSN、独ベルテルスマン財団「The Sustainable Development Report 2019」

★日本は「男女平等」が進んでいない

世界各国のSDGsの達成状況を分析したレポートが発表されています。2019年6月に発表した「2019年版」では、162カ国を評価していますが、日本は15位でした。上位3カ国はデンマーク、スウェーデン、フィンランドと北欧の国が占めています。世界1位の経済大国アメリカは35位、同2位の中国は39位でした。

同じレポートでは、国ごとに17の目標の達成状況を4段階で評価していますが、日本で達成できているのは、目標④「質の高い教育をみんなに」、目標⑨「産業と技術革新の基盤をつくろう」の2つだけでした。目標⑤「ジェンダー平等を実現しよう」、目標⑫「つくる責任つかう責任」、目標⑬「気候変動に具体的な対策を」、目標⑰「パートナーシップで目標を達成しよう」は、「達成にはほど遠い」と最も悪い評価です（左ページ参照）。とくに男女の給与格差をはじめとする女性に対する不平等が先進国でも最悪レベルです。

SDGsを一度達成しても、その後も好ましい状況が続く保証はありません。元に戻らないように継続的に取り組むことも大切です。

ジェンダー・ギャップ指数

DATA

日本の男女格差は大きく先進国で最低レベルの

世界121位

各国の男女格差を測るジェンダー・ギャップ指数（GGI、2020年）を見ると、日本は153カ国中121位で先進国では最低レベルです。

順位	国名	GGI
1	アイスランド	0.877
2	ノルウェー	0.842
3	フィンランド	0.832
53	アメリカ	0.724
106	中国	0.676
121	日本	0.652

出所：世界経済フォーラム「Global Gender Gap Report 2020」

※0〜1までの値をとり、0が完全不平等、1が完全平等を意味する。

COLUMN

SDGsに貢献できる「地産地消」とは?

「地産地消」とは、「地元で生産されたものを地元で消費する」という意味の言葉です。簡単に言えば、地元で生産された農作物などを食べるということです。

地産地消は、さまざまな意味でSDGsに貢献できます。まず、地元で生産されたものを地元の食卓で消費すれば、長い距離を運ぶ必要がなくなります。海外などから輸入して長い距離を輸送すれば、飛行機や船、自動車などの燃料を使うため、地球温暖化の原因とされる温室効果ガスを大量に出してしまうことにつながりますが、それを大幅に削減できます。地元で消費すれば、新鮮な食品を食べることができますし、輸送時間が短いぶん、販売時間も長くできますから食品ロスの削減にもつながります。

また、「地域で生産された旬な食材を、旬な時期に消費する」という意味の「旬産旬消」という言葉もあります。旬の農作物は、ガス・電気などの燃料を使う温室などを使って育てる手間をかける必要がないため、環境に優しくつくることができます。そして、なによりも季節外れの野菜にはないおいしさも魅力です。

この2つのことを意識するだけでも、食料を輸送するエネルギーの削減、食品ロスの削減に貢献できます。

第3章

自分ごととしてSDGsを考えることが大事

1

このままでは まずいことが起こるの?

地球の気温はどうなるの?

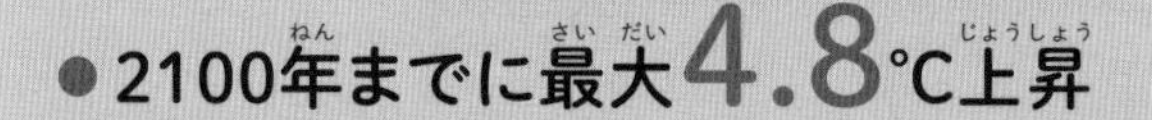

- 2100年までに最大4.8℃上昇
- 1880年～2012年で、すでに0.85℃上昇

地球の海面水位はどうなるの?

- 2100年までに最大82cm上昇
- 1901年～2010年で、すでに19cm上昇

出所:気候変動に関する政府間パネル(IPCC)「第5次評価報告書」

1880 ～ 2012 年の傾向では、世界平均気温は 0.85℃上昇しています。これは 2001 年に発表された気候変動に関する政府間パネル(IPCC)第 3 次評価報告書で示されていた 1901 ～ 2000 年の 100 年当たり 0.6℃の上昇傾向よりも大きくなっています。

温室効果ガス濃度が上昇を続けると、2100年には最悪の場合、最大4.8℃の上昇と予測されている

★大切な地球がどんどんおかしくなっている

これまでに、SDGsを達成しないとさまざまな点で地球がもたないことを説明してきました。では、SDGsを達成できなければ、どんな地球になってしまうのでしょうか。

環境破壊によって地球温暖化が進めば、農作物が獲れなくなり、飢餓が増えるかもしれません。気候変動が進めば水不足の地域が増え、水という資源をめぐって戦争が起こるかもしれません。そうなれば、貧しい国と裕福な国の格差も広がり、同じ人間なのに、不条理なほどの格差がさらに広がってしまうかもしれません。

一見すると関係なさそうな「環境」「平和」「人権」などの人類にとって大切なことは、じつは相互に関係しています。貧困がなくなっても森林伐採が進めば地球の気温が上がって住みづらくなりますし、海がきれいになっても、平和でなければ、いい世界とはいえません。

SDGsの17の目標は、それぞれ違った課題・問題の解決を目指していますが、どれもよりよい地球を目指すうえで複雑に関係しているのです。

人間活動に由来する温室効果ガスの種類別の割合

DATA

最も多いのは化石燃料由来の二酸化炭素で65.2%

二酸化炭素は地球温暖化に影響を及ぼす温室効果ガスで最も多く、全体の4分3以上を占めています。

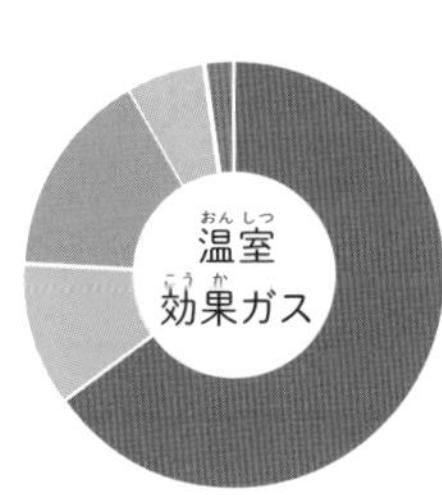

- 二酸化炭素(化石燃料由来) 65.2%
- 二酸化炭素(森林減少など) 10.8%
- メタン 15.8%
- 一酸化二窒素 6.2%
- フロン類など 2.0%

出所：気候変動に関する政府間パネル(IPCC)「第5次評価報告書」

2

SDGsに取り組まなくても罰則はないけれど……

Pix_Arena / Shutterstock.com

2020年5月、アメリカのミネソタ州ミネアポリスで無抵抗な黒人男性が白人警官に殺されました。これをきっかけに大規模な人種差別抗議が起こると、全米中で平和的なデモが行われた一方、商店を破壊する略奪なども起こりました。

↑ 黒人差別が根強いアメリカでは、たびたび抗議デモが起こっている。2020年5月にも大規模なデモが起こった

★SDGsに反すれば、相応の代償も

もし、SDGsに反するようなことをしたら、罰則などはあるのでしょうか。結論からいえば、SDGsには法的拘束力はないので、SDGsに取り組まなくても罰則はありません。

だからといって「SDGsに取り組まなくても問題ない」と考えるのは明らかな間違いです。たとえば、あなたの学校に海外から肌の色が違う転校生がやってきたとします。その人に肌の色が違うからといって差別的な発言をすれば、SDGsの目標⑩「人や国の不平等をなくそう」に反しますが、罰則はありません。しかし、差別的な発言をすれば、周囲の友だちからの信頼を失うなどの社会的制裁を受けるはずです。言い方を変えれば、友だちに差別的発言をすれば、そのうち誰からも相手にされなくなり、楽しい学校生活が送れなくなり、学校に行きたくなくなるかもしれません。そうなれば、あなたの学校生活は持続可能ではなくなってしまいます。

このように、SDGsはわざわざペナルティを設定しなくても、反することをすれば相応の社会的代償が課せられるのです。

知っておくべきコトバ

ブラック・ライブズ・マター

「Black Lives Matter」は、「黒人の命は大切」という意味です。2012年2月にフロリダ州で黒人の少年が白人の警察官に射殺された事件に端を発し、SNS上で#BlackLivesMatterというハッシュタグが拡散されたことが起源といわれています。

黒人差別に反対する人たち

Julian Guadalupe / Shutterstock.com

3

SDGsはビジネスでも貢献できる

ISMAT JAHAN / Shutterstock.com

ムハマド・ユヌスさんは、バングラデシュ生まれの経済学者、実業家です。1983年に貧困層を対象に無担保・低金利で融資するグラミン銀行を設立。その功績が認められ、2006年にはユヌスさんとグラミン銀行がノーベル平和賞を受賞しました。

グラミン銀行は2018年までに約900万人に、265億ドル（約2.8兆円）の無担保融資を行ってきた

★寄付だとお金がなくなれば続けられない

困った人を助けるために寄付やボランティアをするのはいいことです。しかし、ひとつ見逃してはいけない問題があります。ボランティアは寄付などでお金を集められないと活動できなくなってしまう、つまり持続可能な仕組みとはいえない面がある点です。

そこで注目されているのが、社会課題を解決するための活動資金をビジネスの手法を用いて稼ぐ「ソーシャルビジネス」です。事業がうまくいけば、寄付がなくても自分たちの手で利益を生み出すことができ、活動資金の持続可能性を実現できます。

2006年にノーベル平和賞を受賞したバングラデシュの経済学者ムハマド・ユヌスさんが始めたグラミン銀行が、ソーシャルビジネスの成功例として有名です。ユヌスさんは、1日1～2ドルで暮らす最貧困層に対し私財を投じて、「マイクロクレジット」と呼ばれる無担保で少額のお金を貸し出す方法で、新たな事業ができるように手助けしました。そのお金を元手に多くの貧しい人（多くは女性）は事業を起こして貧困から抜け出せたのです。

知っておくべきコトバ

マイクロクレジット

貧困状態の人や、失業者、十分な資金のない起業家など、ふつうなら銀行からお金を借りられない人々を対象とする非常に少額の融資をマイクロクレジットといいます。1970年代にバングラデシュで始まりましたが、その後は世界中の途上国にこの仕組みは広まっています。

Maximum Exposure PR / Shutterstock.com

4

グレタさんが大人たちに激怒する理由

Daniele COSSU / Shutterstock.com

アメリカのニュース雑誌『TIME』で、2019年「パーソン・オブ・ザ・イヤー（その年に最も話題になった人）」に選ばれるなど、気候変動抗議運動の世界的なシンボルになっているグレタ・トゥンベリさん。ノーベル平和賞の候補ともいわれています。

↑ 国連気候変動サミット2019を前に行われた気候変動対策を求めるデモには、全世界で400万人が参加した

★大人たちの尻ぬぐいするのはおかしい

2019年9月、国連本部で開かれた国連気候変動サミット2019で、16歳のスウェーデン人環境活動家グレタ・トゥンベリさんが話題になりました。そこで彼女は、「人々は苦しんでいます。人々は死にかけています。生態系全体が崩壊しています。私たちは大規模な絶滅の危機に瀕しています。大人が話すのは、お金と経済成長がいつまで続くのかというおとぎ話です。よくもそんなことができますね」と大人に訴えたのです。彼女は地球温暖化や生態系の破壊を顧みず、これまでに経済を優先してきた大人たちが、こども世代に問題を先送りしていることに怒っています。大人がこれまでにしてきたことの被害を受けるのはこども世代で、その尻ぬぐいをしなければいけないことがおかしいと思っているのです。

地球の環境がますます悪化すれば、問題は深刻化します。だからこそ、未来の子や孫の世代まで暮らしやすい地球の環境を守るために、大人もこどもも地球に暮らす当事者として、今から現状に危機感を持ち、行動を起こす必要があるのです。

知っておくべきコトバ

国連気候変動サミット2019

2019年9月23日に、グテーレス国連事務総長による各国への呼びかけで、ニューヨークの国連本部で開催された国連気候変動サミットのこと。10年間で温室効果ガス排出量を45%削減することなどを求めました。直後に「SDGs Summit 2019」も開催されました。

閉会時に挨拶するグテーレス氏

lev radin / Shutterstock.com

5

「他人が悪い」でなく、「自分ができること」を考える

考え方が違う人でも相手を理解しようとする寛容さがあれば、きっと理解し合えるはず。国や宗教、文化などが違えば、考え方が大きく異なるかもしれません。理解し合うのに時間がかかっても、あきらめないことが重要です。

↑ 他人の違いを受け入れない人たちが差別、テロ、紛争などの悲しい出来事を引き起こしている!

★考え方が違う人を理解することが大事

友だちに「明日、10時に集合ね」と言って、翌日の集合時間に友だちが来なかったとします。後日、その友だちに、「そんな話は聞いていない」と言われたら、あなたはどう思うでしょうか。あなたは「ちゃんと言ったのに、来なかったキミが悪い」と友だちを一方的に責めるかもしれません。一方で、あなたが伝えたとき、友だちは考えごとをしていて、聞こえていなかったかもしれません。そのときに、「伝え方が悪かったのかも。次はちゃんと伝わるようにしよう」と考えることもできます。

SDGsが解決を目指している問題は複雑です。世界には宗教や文化などが異なり、考え方や物事の捉え方が違う人がたくさんいます。自分に都合のいいことばかり主張すれば、考え方の違う人と対立を深めるだけです。日本人とアフリカの人の考え方、キリスト教徒とムスリムの考え方は違うかもしれません。それでも考え方や立場の違う人のことを想像力を働かせながら慮り、理解し合えば、よりよい世界の未来につなげることができるはずです。

知っておくべきコトバ

ムスリム

イスラム教信者を「ムスリム」といいます。キリスト教に次いで2番目に多い、世界人口の4人に1人（約19億人）がムスリムです。日本ではアルカイダやISIL（イスラム国）などのイスラム過激派組織が話題になりがちですが、ムスリムの大多数は平和的な考えをもっています。

食事をするイスラム教徒の家族

6

誰がつくっているかを考えたことある?

カカオの木になったラグビーボールのような形の実の中に入っている 30 ～ 40 粒のカカオ豆がチョコレートやココアの原料になります。カカオの実を収穫する貧しい家庭のこどものなかには、何に使われるかがわからないこどももいるといいます。

チョコレートの原料であるカカオを収穫するアフリカの人たちのなかには、チョコレートの味を知らない人もいる

★こどもがチョコの原料を収穫している

私たちはモノを買ったり食べたりして日々、消費しています。それらがどこでつくられているかを考えたことはあるでしょうか。

たとえば、大好きな人も多いチョコレートで考えてみましょう。チョコの原料はカカオ豆で、主要生産地は、コートジボワール、ガーナなどのアフリカ諸国や東南アジア、中南米の途上国です。

世界のこどもの10人に1人が児童労働をしていますが、じつは多くのこどもがカカオ豆の収穫に携わっている現実があります。小学校に行くはずのこどもがチョコの原料を収穫しているということです。

その背後にあるのは貧困です。カカオ生産者はチョコレートメーカーなどに不当に安い価格でカカオ豆を買い叩かれ、安定した収入を得られません。そのために貧しく、こどもを学校に通わすことができず、働きに出すという負の連鎖があるのです。

ふだん食べたり、使っているものがどこで、どのようにつくられているかに興味を持つと、商品の選び方が変わってくるはずです。

知っておくべきコトバ

児童労働

義務教育を妨げる労働や、法律で禁止された18歳未満の危険・有害な労働が「児童労働」です。家の手伝いや高校生のアルバイトは児童労働ではありません。ILO（国際労働機関）によると、世界のこどもの10人に1人、約1億5,200万人（2017年）が児童労働をしています。

出所：ILO（国際労働機関）

7

エシカル消費を考えよう！

主要国のフェアトレード小売販売額（2017年）

国名	フェアトレード小売販売額（万ユーロ）	総人口（万人）	1人あたりの小売販売額（ユーロ／人）
スイス	63,058	842.0	74.90
アイルランド	34,200	478.4	71.48
フィンランド	23,353	550.8	42.40
スウェーデン	39,438	1,005.8	39.21
オーストリア	30,400	877.3	34.65
UK	201,366	6,580.9	30.60
ドイツ	132,935	8,252.2	16.11
フランス	56,100	6,491.0	8.64
カナダ	29,656	3,670.8	8.08
USA ※	99,412	32,312.8	3.08
イタリア	13,003	6,053.7	2.15
日本	9,369	12,678.6	0.74

※人口はアメリカのみ2016年　出所：Fairtrade International　Annual Reports2017-2018、国連より作成

↑ 欧米に比べてエシカル消費に対する意識が低い日本では、フェアトレード商品に支払う金額は著しく少ない

★買い物で社会課題の解決に貢献する

「エシカル消費」という言葉を聞いたことがあるでしょうか。「エシカル」とは「倫理的な」という意味です。「倫理的」とは、少し難しい言葉かもしれません。簡単にいえば、法律とは関係なく、多くの人が正しいと考えること。つまり、「エシカル消費」は、地球環境や人、社会、地域に配慮して考えて消費することを指します。

SDGsにより、貧困、人権、気候変動などの世界的な社会課題を解決しないといけないという機運が高まっているなかで、人や社会、地球環境に配慮するエシカル消費が注目を集めているのです。

私たちは大人であろうと、こどもであろうと、みんなが消費者です。日々の暮らしで買い物をしますが、そこに「エシカル」という視点を持つことで社会をよりよい方向に動かすことができるのです。

その代表はフェアトレード商品や障がい者の支援につながる商品、リサイクル商品の購入などです。買い物は誰もがします。だからこそ、誰もがSDGsの達成に貢献できるともいえるのです。

知っておくべきコトバ

フェアトレード

フェアトレードとは、途上国の原料や製品を適正な価格で継続的に購入することにより、立場の弱い途上国の生産者や労働者の生活改善と自立を目指す「貿易のしくみ」です。代表的なフェアトレード認証製品には、コーヒーやチョコレートなどがあります。

国際フェアトレード認証ラベル

出所：フェアトレード・ラベル・ジャパン

8

未来のために今、やるべきことをやろう！

Paolo Bona / Shutterstock.com

本田圭佑選手は、「W カップで有名になって　ぼくは外国から呼ばれて　ヨーロッパのセリエ A に入団します。そして　レギュラーになって　10 番で活躍します。」（原文ママ）と小学生のときに作文を書いて、それを本当に実現しました。

絶対に実現する必要があるSDGsに対し、世界中の人が今やるべきことから行動を起こすことが求められている

★プロ選手になった人の考え方が参考に

プロスポーツ選手になった人は、小さいころから「プロ選手になるためには何をすればいいのか」と考えている人が多いといわれています。ふつうの人は、「たくさん練習すれば、将来はプロになれるはず」と考えがちですが、そうではないのです。

たとえば、サッカーの本田圭佑選手は、小学生のときの作文に「ぼくは大人になったら世界一のサッカー選手になりたいと言うよりなる。」と書いています。サッカー選手になることを前提にしていたのです。そして、実際に日本代表になり、海外でも活躍しています。

普通の人は頑張れば「目標」に近づけると考えます。一方、目標を達成する人は、目標達成を前提に、何をしなければならないか、どうすれば目標達成できるかを考えて行動しているのです。

SDGs は 2030 年までに達成すべき目標です。しかし、今のままでは達成が難しくなっています。だからこそ、世界中の人が SDGs の達成を大前提に、「今できること」ではなく「今やるべきこと」を考えて行動することを求められているのです。

知っておくべきコトバ

スポーツSDGs

国連は、スポーツを SDGs における重要なカギとして重視しています。日本国内ではスポーツ庁がスポーツがもつ人々を集める力や人々を巻き込む力を使って、SDGs の認知度向上、社会におけるスポーツの価値のさらなる向上に取り組む「スポーツ SDGs」を推進しています。

9

目標達成のために何が必要かを考えよう

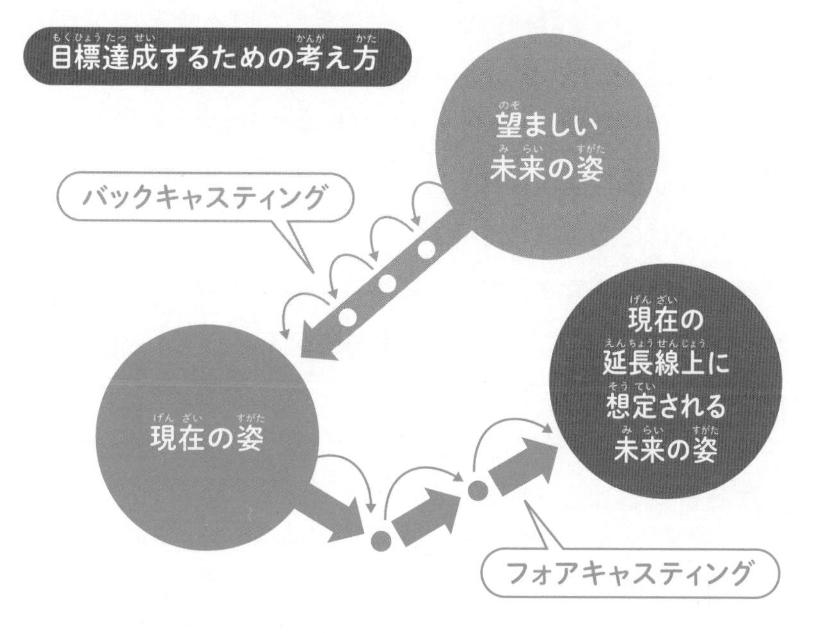

望ましい未来の姿から「その実現のために、今やるべきことを考える」思考法を「バックキャスティング」、現在や過去をもとに目標を立てるのが「フォアキャスティング」です。本田選手はバックキャスティングで考え、夢を実現したのです。

目標を達成することを大前提にして、今までにないアイデアや方法で解決を目指さないと達成は難しい！

★目標達成を前提にできることを考える

テストでいつも60点しか取れないのに、先生から「次のテストで80点以上を取る」という目標を設定されたらどうしますか。「習いごとが忙しくて時間がない」「80点なんて取れるわけがない」「どうせ自分には無理」など、できない理由を挙げるのは簡単です。しかし、それでは点数はなかなか上がらないでしょう。

SDGsは国連が決めた絶対に達成すべき目標です。できない理由を挙げて、あきらめてはいけません。では、今まで達成できていない目標を必ず達成するにはどうすればいいのでしょうか。

考え方を変えることです。本田選手（80ページ参照）のように、今できるか、できないかに関係なく、目標実現のために「今やるべきことを考える」のです。目標の実現を前提に考えていくと、これまでとは違ったアイデアが出てくるはずです。そして実際に行動に移します。こう考えることを「バックキャスティング」といいます。これとは逆に、「今できること」から、目標を立てるのが「フォアキャスティング」ですが、これではなかなか目標は達成できません。

実践できるお役立ち情報

夢ノート

サッカーの本田選手は、夢を実現するために中学生の頃から「夢ノート」をつけ始めたといいます。まず夢（目標）を記入し、それに向けて何をすべきかを書いていたといいます。当時からバックキャスティングで考えていたのです。

本田圭佑
プロデュース
夢ノートシリーズ
「夢ノート 第2弾 DREAM NOTE」

発売：ギャンビット
価格：935円（税込）

10

できること、できそうなことからやってみよう

↑ 個人(こじん)では、一度(いちど)にたくさんのことはできないので、「自分(じぶん)にできること」がないかを探(さが)してみよう

★こどもでも、できることはたくさんある！

全世界的な目標であるSDGsは、世界中のすべての人々が当事者意識を持つことが大切ですが、「貧困をなくそう」「海の豊かさを守ろう」といった壮大な17の目標は、国、地方自治体、企業が考えることで自分にできることは少ないと考えがちです。

しかし、あなたはすでに貢献している可能性があります。たとえば、家で誰も見ていないテレビの電気を消したり、マイバッグを持参して買い物に行き、レジ袋をもらわなければ、それは省資源につながっています。じつは、身の回りでできることは多いのです。

一方で、今の地球は危機的状況です。自分が住む地球を自分が住む家と同じように考えなければいけません。そう思えば、「地球に暮らす当事者としてもっとできることがある」と考えることができるのではないでしょうか。

国際連合広報センターは、「持続可能な社会のために　ナマケモノにもできるアクション・ガイド」で、誰もがSDGsに貢献できることをまとめているので、次のページから紹介していきます。

知っておくべきコトバ

国際連合広報センター

国際連合（国連）の活動全般にわたる広報活動を行うため、世界の約60カ国に設置されているのが国際連合広報センターです。日本にも設置されており、ホームページ（124ページ参照）ではSDGsをはじめとする国連に関する最新情報を日本語で閲覧できます。

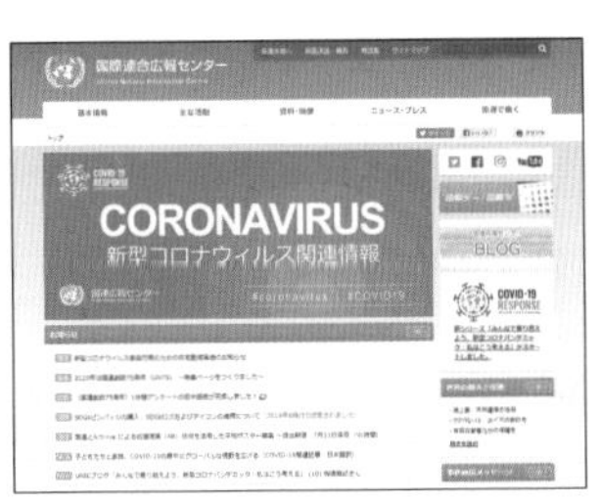

国連広報センターのホームページ

11

できることレベル1：ソファに寝たままできること

部屋を見渡しながら、もっとやるべきことはないかを考えてみると、新しい発見があるはずです。スマホでゲームをしたり、YouTubeを見たりするだけでなく、SDGsや、世界中にある解決すべき問題・課題について調べてみてはどうでしょうか。

想像力を働かせて、「自分ができることはないか」を考えれば、たくさん見つかるはず

★寝転がっていてもSDGsに貢献できる

では、SDGsに貢献するにはどうすればいいのでしょうか。こどもでもできることはあるのでしょうか。

国連広報センターが、「持続可能な社会のために　ナマケモノにもできるアクション・ガイド」という冊子を出し、4つのレベルで「できること」を紹介しています。

SDGsは世界中の誰一人として無関係な人はいません。まずはもっとも簡単なレベル1は「ソファに寝たままでできること」です。

たとえば、見ていないテレビや必要のない照明を消せば、無駄な電力を消費せずに済みます。ソファに寝転がりながらスマホを見ているときに検索すれば、持続可能で環境にやさしい取り組みをしている企業を見つけることができます。今度買い物をするときに、どの企業の製品を買うかの参考にできます。LINEなどのSNSでいじめを見つけたのなら、いじめている人を注意することもできます。SNSで気候変動や貧困問題などについて書いてある投稿を見つけて、友だちにシェアするだけでもSDGsに貢献できます。

知っておくべきコトバ

SNS

SNSは、ソーシャル・ネットワーキング・サービスの略で、ソーシャル（社会的な）ネットワーキング（繋がり）を提供するサービスという意味です。代表的なサービスには、フェイスブック、インスタグラム、LINE、ツイッターなどがあります。

slyellow / Shutterstock.com

第3章　自分ごととしてSDGsを考えることが大事

12

できることレベル2:家にいてもできること

家では食事をして、歯を磨き、お風呂やトイレに入るなど、さまざまな行動をしています。そこで改めてSDGsを念頭に置きながら、家の中で毎日必ずすることを思い返してみましょう。そうすると、思いもよらない無駄が見つかるかもしれません。

ふだんの行動を見直すことで、できることがもっと見つかるはず! 行動を変えることで、未来が変わるよ!

★家にいてもSDGsに貢献できる！

ソファに寝ていてもできることの次は、レベル２「家にいてもできること」です。できることはもっと増えます。

今まで顔を洗うときに水を出しっぱなしにしたり、お風呂で体を洗うときにシャワーを出しっぱなしにしていたのなら、洗うときだけ水を出すようにすれば、水を節約できます。髪を乾かすときにドライヤーを使わなければ、電気を節約できます。家で食べきれないものが出たら、冷凍して簡単に捨てないことも大切です。食べものの無駄だけでなく、お金の無駄も減らせます。エアコンの温度を冬は低め、夏は高めに設定すれば、電気を節約できます。エアコンを使っているときに、窓やドアを閉め忘れることが多いのなら、冷たい空気、温かい空気が逃げないように、きちんと閉めるように注意しましょう。エネルギー効率を高めることができます。

家にいても簡単に資源の節約に役立つ行動ができることに気づくはずです。自分にやるべきことがないかを探してみると、もっとできることがあるかもしれません。

知っておくべきコトバ

バーチャルウォーター（仮想水）

農作物の生産には水が使われます。たとえば、牛肉1kgあたり2万600ℓが必要です。日本が牛肉を輸入すると、間接的に輸入先の水を使ったと考えられ、このような水を「バーチャルウォーター（仮想水）」といいます。日本は外国の水を間接的に大量消費しているのです。

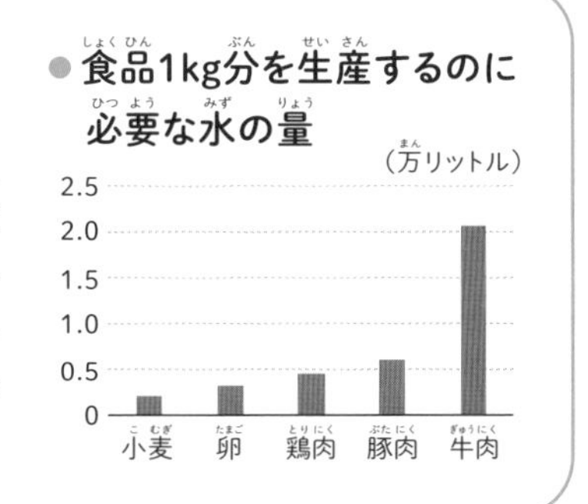

出所：環境省

13

できることレベル3：家の外でできること

大きな視点で「地球は自分が住む星」と、自分の家と同じように考えれば、もっとできることがあるはずです。外に出れば、お店の人や近所の人など、さまざまな人と関わります。その関わりのなかでやるべきことを考えてみましょう。

自分と関わりのある人たちと、何をやるべきかを考えていけば、できることの範囲をもっと広げられる！

★外出先でSDGsに貢献できることもある

レベル3は「家の外でできること」です。さらにできることが増えてきます。

2020年7月1日から日本でもレジ袋の有料化がスタートしましたが、買い物にエコバッグを持参すれば、わざわざお金を払ってビニール袋を買わずに済みます。お金のムダをなくせるだけでなく、社会問題になっている、海に流出した海洋プラスチックごみによる海洋汚染や生態系の破壊を食い止めることに貢献できます。

ファストフードのお店に行ったときに、タダだからといって、紙ナプキンを必要以上に取っていませんか。もしそうなら必要な分だけもらうようにしましょう。使わない服や本、おもちゃなどは捨てずに、近所の小さいこどもにあげたらどうでしょう。喜んで使ってもらえるかもしれません。そうすれば、モノをムダにしなくて済みますし、あなたもうれしくなるはずです。

家の外に出れば、友だちや先生など、いろいろな人との関わりがあるはずです。一緒にどんなことができるかを考えてみましょう。

知っておくべきコトバ

海洋プラスチックごみ

ビニール袋や容器など、生活のあらゆる場面で使われるプラスチックの多くは使い捨てです。海にごみとして流れ着いた海洋プラスチックごみは、すでに1.5億トンもあるとされ、海を汚染するだけでなく、海の生態系にも影響を与えるため、大きな問題になっています。

14

できることレベル4：職場（学校）でできること

学校でもできることはたくさんあります。先生とSDGsについて話し合ってもいいかもしれません。クラスメイトにはいろいろな個性をもつ人がいるはずです。違った意見の人でも理解し合えるように努めることも大切です。

三人寄れば文殊の知恵！自分たちが住む地球の未来について友だちといろいろ話してみよう！

★友だちと学校でできることを考えよう！

レベル4は「職場でできること」となっています。ここでは、こどもの職場といえる「学校」に置き換えて考えてみましょう。

たとえば、学校内で性別や人種の違い、LGBTの人に対する差別があったら、声を上げてみましょう。SDGsは人の平等を目指していますから、その達成に貢献することにつながります。SDGsについて学んだり、環境問題について友だちと話したりすることも学校でできることです。今まで給食に嫌いな食べものが出たときに残していたのなら、残さず食べるようにすれば、食品ロスを減らすことにもつながりますし、手を洗うときに水を出しっぱなしにしなければ、節水もできます。

SDGsに貢献しようと考えて、自分の周りを見渡せば、できることはたくさんあるはずです。ひとりでできることは小さいことかもしれません。しかし、小さなことでもみんなが取り組めば、それは大きな力になり、未来を変えることにつながります。その意味では、世界中の一人ひとりができることをやることが重要です。

知っておくべきコトバ

LGBT

女性同性愛者（レズビアン）、男性同性愛者（ゲイ）、両性愛者（バイセクシュアル）、トランスジェンダーの英語の頭文字を組み合わせた言葉で、性的少数者の総称のひとつです。「レインボーフラッグ」がLGBTの象徴として世界中で使われています。

レインボーフラッグ

15

「いいことをしよう」だけでは長続きしないことも

赤い羽根共同募金や、コンビニエンスストアのレジの近くに置いてある募金箱など、日常生活でも募金できる機会はたくさんあります。募金をしたときは、その募金の目的が何かを気にしてみましょう。

SDGsは「持続可能性」がポイント！一度きりでなく、継続的な行動をしなければ、問題・課題は解決しない！

★いいことをして自分に満足する人もいる

災害が起こったときや、貧困に苦しむ国を救うために、寄付やボランティアをしようと考える人は多いかもしれません。あなたがそれを実行することは素晴らしいことです。

そのとき、「寄付する自分はいい人だ」「ボランティアした自分はいい人だ」と自身の行いに満足して、その後、その問題がどうなるかに関心を寄せなくなってしまう人もいます。もちろん、何もしないより寄付やボランティアをしたほうがいいですが、SDGsが目指すのは「持続可能性」です。

一度きりの寄付やボランティアで終わっては大きな力になりませんから、たとえば、寄付をしたら、自分が寄付したお金がどのような課題の改善につながっているのかを考えたり、どのように使われているのかを調べてみましょう。その課題について深く知ることができますし、寄付以外のもっといい解決策が見つかるかもしれません。そうすれば、一度きりで満足せず、持続可能な行動に結びつけられるはずです。

日本の寄付市場の推移

DATA

2016年の日本における寄付総額は、7,756億円

2016年の寄付総額は7,756億円で、寄付をした人の数は、4,571万人（日本国民の45.4%）となっています。

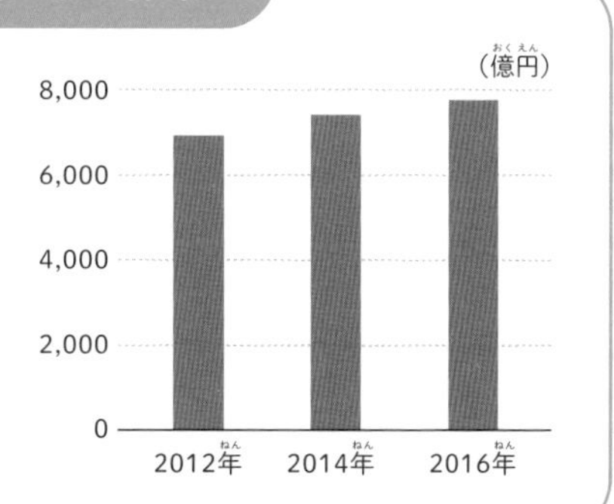

出所：認定特定非営利活動法人日本ファンドレイジング協会「寄付白書2017」

16

「SDGsウォッシュ」をしてはいけない！

ウソをついてはいけないのは当たり前です。SDGsに取り組んでいないのに取り組んでいるフリをしたり、少ししか取り組んでいないのに誇張してアピールするのはいけません。SDGsは誠実に取り組むことが大事です。

SDGsに取り組む目的は、「持続可能な開発」を実現するため！自分をよく見せるためのものではない！

★ウソをついたら、しっぺ返しがある

環境保護の重要性の高まりから、企業も環境への配慮が求められており、環境に配慮する姿勢をパッケージやウェブサイトなどで消費者にアピールする企業が増えています。しかし、私たちはそれが本当かどうかわかりません。企業が言っていることを信じるほかありません。残念なことに、あたかも環境に配慮しているとウソをついて、消費者の支持を得ようとする企業もあるのです。そうしたごまかし行為を「グリーンウォッシュ」といいます。

環境配慮をウリにする商品を買おうとしたのに、それがウソとわかったら、その企業は信用を失い、消費者はその企業の商品を買わなくなるはずです。それだけでなく、環境に配慮した商品を真面目につくる企業にも疑いの目が向けられるなどの悪影響が及びます。

最近では、「SDGs ウォッシュ」という言葉も出てきています。企業でも人でも、持続可能な社会に配慮するフリをしながら、環境破壊や児童労働に関与していれば、そのことが明るみに出たとき、信頼を一気に失います。ウソをつくと、失うものは大きいのです。

知っておくべきコトバ

グリーンウォッシュ

環境に悪影響のある企業活動には触れずに一部の環境配慮の取り組みを強調するなど、消費者に誤解を与えるのが「グリーンウォッシュ」です。2019年にはファストファッションで知られるH&Mがグリーンウォッシュの疑いがある広告を出し、ノルウェー政府から批判されました。

Marco Allasio / Shutterstock.com

17

おうちの人に会社での取り組みを聞いてみよう！

SDGsは企業の取り組みが重要とされています。おうちの人にSDGsについてどう考えているのか、勤務する会社では具体的な取り組みを行っているかを聞いてみましょう。もしおうちの人がSDGsについて知らなければ、教えてあげましょう。

おうちでSDGsの話をしてみましょう。自分ひとりでは思いつかなかった「できること」が見つかるかもしれない！

★SDGsの達成に重要な役割をもつ企業

国連は、企業が真剣に取り組むことなく、SDGsの達成はできないとしています。企業がお金儲けを優先して、環境破壊や人権侵害などを行ってきた結果、地球が危機的状況になったので、それは当然かもしれません。

一方で企業は利益を出さなければ、事業を続けられませんから、企業は利益を出しながら、SDGsの達成に貢献できる事業活動を行うことが求められています。もし、SDGsに貢献している企業でも、赤字が続けば、SDGsに貢献したくてもできなくなってしまいます。企業がお金儲けをしながら、SDGsに貢献できれば、それは持続可能な取り組みになります。

おうちの人が勤める会社では、どんな取り組みをしているかを聞いてみましょう。SDGsにどう貢献しているのか、SDGsのどの目標に関連しているかを調べていけば、SDGsの理解がより深まるはずです。もし、おうちの人がSDGsのことを知らなかったら教えてあげましょう。それもSDGsに貢献することにつながります。

中小企業のSDGsの認知度

DATA

日本の中小企業のSDGsの認知度はわずか

15.8%

2018年3月に実施された調査では、中小企業の84.2%がSDGsを「まったく知らない」と回答。認知度は高くありませんでした。

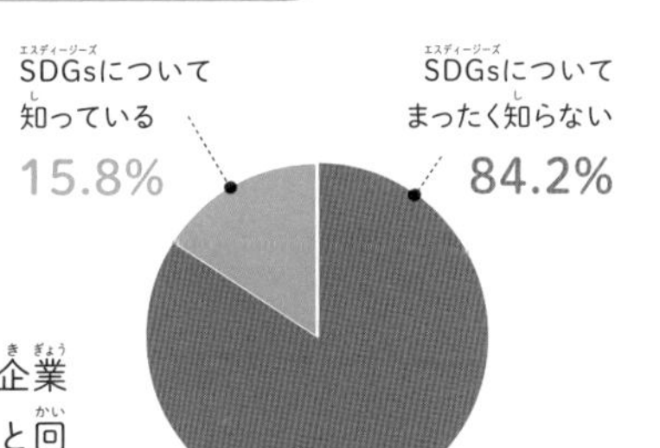

出所：経済産業省関東経済産業局、一般財団法人日本立地センター「中小企業のSDGs認知度・実態等調査結果」

18

「こどものことを考えて」と大人に働きかけてみよう

大人のなかには環境や人権について関心が薄い人が少なくありません。未来の主役は今のこどもたちです。自分たちが大人になったときの地球が今より良い地球になるように、大人たちにも積極的にSDGsについて話してみましょう。

社会・環境問題に関心が薄い大人にもっと関心をもってもらうよう働きかけよう。こどもの話もきっと聞いてくれるはず！

★大人にもっと未来を心配してもらおう

今の地球は気候変動から生物多様性が失われ、貧富の差が拡大するなど、たくさんの問題を抱えています。たとえば、これ以上環境が破壊されると私たち人間は安心して生きていけなくなりますが、すでに問題は深刻化しており、すぐには解決できなくなっています。また、「差別はよくない」とはわかっていても差別はなくなっていません。学校でも「いじめはいけない」と、みんながわかっているのに、今も昔もいじめは起こっています。

今までの大人は、後先を深く考えずに資源を好き放題に消費してきました。差別やイジメをなくすことはできませんでした。だからこそ、こども世代は問題・課題から目を逸らさず、「自分ごと」として考えて、よりよい地球を目指したいものです。

アメリカのある調査では、Z世代（「知っておくべきコトバ」参照）の87％は、「社会や環境問題に関心がある」と答えています。年齢が高いほど社会・環境問題への関心が薄い傾向があるので、若い世代がもっと大人に働きかけていく必要があるかもしれません。

知っておくべきコトバ

Z世代

もともとアメリカで生まれた言葉で、1990年代後半から2000年生まれの世代のことをZ世代といいます。その由来は、1960年～1974年生まれを「X世代」、1975年～1990年代前半生まれを「Y世代（ミレニアル世代ともいう）」とした流れで「Z世代」と名付けられました。

COLUMN

学校給食から食品ロスを減らす

学校給食で発生する食品残渣（食べ残し、売れ残り、消費期限切れの食品などのこと）は、児童・生徒１人あたり年間 7.1 kgも出ているといいます。

SDGs では「2030 年までに小売・消費レベルにおける世界全体の一人当たりの食料の廃棄を半減」が目標⑫「つくる責任つかう責任」のターゲットになっています。

山梨県甲府市では、学校給食で発生する廃棄物の 3R(リデュース・リユース・リサイクル）に取り組み、最大で約 65% も食べ残しを減らすことに成功したといいます。

甲府市では、こどもが喜ぶように野菜をハートや花の形に調理するなど、給食を食べたくなる工夫をしました。同時に、食べ残しが多い学校では食事時間が短い傾向があるとわかったため、食事時間をしっかりとれるように工夫したといいます。

さらには甲府市役所の職員が「ごみ減らし隊」となり、幼児や小学生向けに食品ロスなどに関する啓発活動を行ったことで、食べ残しが捨てられていることを認識して、意識が大きく変わったそうです。

工夫をすることで、よりよい状態に変えられることが、この取り組みからわかるのではないでしょうか。

付録

SDGsの17の目標をもっとくわしく知る

SDGsの17の目標をもっとくわしく知る

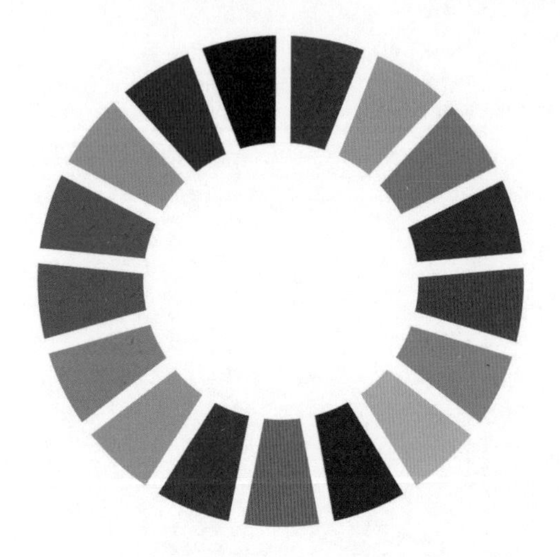

17の目標をくわしく知るとSDGsが目指すものがよくわかる

SDGsは17の目標と169のターゲットが設定されています。そのターゲットまで見ていくと、世界の人々が目指さなければいけないこと、現在の解決すべき課題・問題がより明確に見えてきます。そして、目標①「貧困をなくそう」のように、各目標はシンプルに表現されていますが、ターゲットまで見ると、具体的な目標を掲げて解決を目指していることがわかります。

17の目標ページの見方

●各目標のアイコンではシンプルに目標が表現されています。アイコンだけでは表現ができない、国連が目指すより詳しい目標です。

●SDGsの17の目標は、「世界が直面している主な課題・問題」を解決するために設定されています。ここに書かれているのは、それぞれの目標に関係する課題・問題です。今、世界にはどんな課題・問題があるのかがわかります。

●17の目標に対して、全部で169の「ターゲット」が設定されています。「ターゲット」は、目標を達成するためのより具体的な目標です。スペースの関係ですべて掲載できませんが、できるかぎりターゲットを掲載しています。

目標：1

1 貧困をなくそう

あらゆる場所のあらゆる形態の
貧困を終わらせる

世界が直面している主な課題・問題

● 2015年時点で、1日1.9ドルという国際貧困ライン未満で暮らす人々は、7億3,600万人に上ります。そのうち4億1,300万人がサハラ以南アフリカに集中しています。
● 1日1人1.9ドルの所得で暮らしている人は、2015年時点で全世界の9.9%でしたが、2018年には8.6%まで減少しました。しかし、2030年の予測は6.0%となっており、2030年までに貧困に終止符を打つメドは立っていません。
● 全世界の貧困層の約79%が農村部に住んでいます。農村部の貧困率は17.2%で、都市部（5.3%）の3倍以上になっています。また、極度に貧しい人々の46%は14歳未満の子供です。
● 東アジアの貧困率は1990年の52%から2015年には1%未満にまで低下しました。

主なターゲット

1.1　2030年までに、現在1日1.25ドル未満で生活する人々と定義されている極度の貧困をあらゆる場所で終わらせる。
1.2　2030年までに、各国定義によるあらゆる次元の貧困状態にある、すべての年齢の男性、女性、子どもの割合を半減させる。
1.3　各国において最低限の基準を含む適切な社会保護制度及び対策を実施し、2030年までに貧困層及び脆弱層に対し十分な保護を達成する。

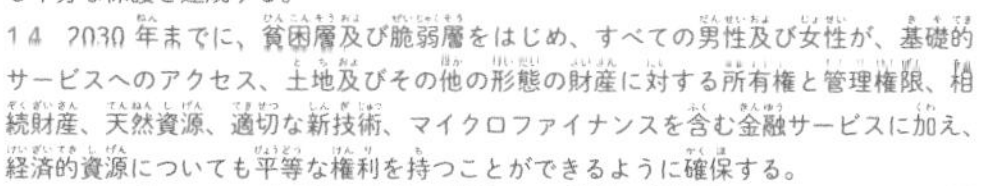

1.4　2030年までに、貧困層及び脆弱層をはじめ、すべての男性及び女性が、基礎的サービスへのアクセス、土地及びその他の形態の財産に対する所有権と管理権限、相続財産、天然資源、適切な新技術、マイクロファイナンスを含む金融サービスに加え、経済的資源についても平等な権利を持つことができるように確保する。
1.5　2030年までに、貧困層や脆弱な状況にある人々の強靱性（レジリエンス）を構築し、気候変動に関連する極端な気象現象やその他の経済、社会、環境的ショックや

目標達成を目指す理由

現在でも、7億人以上が1日1.9ドル90未満の極度の貧困状態で暮らしています。不平等が広がれば、経済成長に悪影響が及ぶほか、社会的一体性が損なわれ、政治や社会の緊張が高まり、情勢不安や紛争の原因にもなりかねません。

●SDGsの17の目標は、それぞれ理由があって設定されています。なぜ目標を達成しなければいけないのか、目標を達成すると世界はどう変わるのか、目標を達成できないと世界はどうなってしまうのかを簡単に説明しています。

※主なターゲットは総務省の仮訳に準じています。

目標1

1 貧困をなくそう

あらゆる場所のあらゆる形態の貧困を終わらせる

世界が直面している主な課題・問題

● 2015年時点で、1日1.9ドルという国際貧困ライン未満で暮らす人々は、7億3,600万人に上ります。そのうち4億1,300万人がサハラ以南アフリカに集中しています。

● 1日1人1.9ドルの所得で暮らしている人は、2015年時点で全世界の9.9%でしたが、2018年には8.6%まで減少しました。しかし、2030年の予測は6.0%となっており、2030年までに貧困に終止符を打つメドは立っていません。

● 全世界の貧困層の約79%が農村部に住んでいます。農村部の貧困率は17.2%で、都市部（5.3%）の3倍以上になっています。また、極度に貧しい人々の46%は14歳未満のこどもです。

● 東アジアの貧困率は1990年の52%から2015年には1%未満にまで低下しました。

主なターゲット

1.1　2030年までに、現在1日1.25ドル未満で生活する人々と定義されている極度の貧困をあらゆる場所で終わらせる。

1.2　2030年までに、各国定義によるあらゆる次元の貧困状態にある全年齢の男性、女性、こどもの割合を半減させる。

1.3　各国において最低限の基準を含む適切な社会保護制度及び対策を実施し、2030年までに貧困層及び脆弱層に対し十分な保護を達成する。

1.4　2030年までに、貧困層及び脆弱層をはじめ、すべての男性及び女性が、基礎的サービスへのアクセス、土地及びその他の形態の財産に対する所有権と管理権限、相続財産、天然資源、適切な新技術、マイクロファイナンスを含む金融サービスに加え、経済的資源についても平等な権利を持つことができるように確保する。

1.5　2030年までに、貧困層や脆弱な状況にある人々の強靱性（レジリエンス）を構築し、気候変動に関連する極端な気象現象やその他の経済、社会、環境的ショックや災害に暴露や脆弱性を軽減する。

目標達成を目指す理由

現在でも、7億人以上が1日1.9ドル未満の極度の貧困状態で暮らしています。不平等が広がれば、経済成長に悪影響が及ぶほか、社会的一体性が損なわれ、政治や社会の緊張が高まり、情勢不安や紛争の原因にもなりかねません。

目標2

2 飢餓をゼロに

飢餓を終わらせ、食料安全保障及び栄養改善を実現し、持続可能な農業を促進する

世界が直面している主な課題・問題

● 2017年時点で、栄養不良に陥っていた人は人口の9人に1人（8億2,100万人）もおり、2015年の7億8,400万人から増加しています。

● 2017年時点で、栄養不良に陥っている人々は、サハラ以南アフリカ（2億3,700万人）と南アジア（2億7,700万人）が特に多くなっています。とくに、サハラ以南のアフリカでは状況が悪化しており、2014年の1億9,500万人から増加しています。

● 2018年、5歳未満の22%（1億4,900万人）のこどもが慢性的に栄養失調でした。そのうち、特に多い地域は南アジア（39%）、サハラ以南アフリカ（36%）です。

● 一方、全世界で太りすぎは、5～9歳のこどもの20.6%、青年（2億700万人）の17.3%、および成人（20億人）の38.9%に及びます。

主なターゲット

2.1　2030年までに、飢餓を撲滅し、すべての人々、特に貧困層及び幼児を含む脆弱な立場にある人々が一年中安全かつ栄養のある食料を十分得られるようにする。

2.2　5歳未満のこどもの発育阻害や消耗性疾患について国際的に合意されたターゲットを2025年までに達成するなど、2030年までにあらゆる形態の栄養不良を解消し、若年女子、妊婦・授乳婦及び高齢者の栄養ニーズへの対処を行う。

2.3　2030年までに、土地、その他の生産資源や、投入財、知識、金融サービス、市場及び高付加価値化や非農業雇用の機会への確実かつ平等なアクセスの確保などを通じて、女性、先住民、家族農家、牧畜民及び漁業者をはじめとする小規模食料生産者の農業生産性及び所得を倍増させる。

2.4　2030年までに、生産性を向上させ、生産量を増やし、生態系を維持し、気候変動や極端な気象現象、干ばつ、洪水及びその他の災害に対する適応能力を向上させ、漸進的に土地と土壌の質を改善させるような、持続可能な食料生産システムを確保し、強靭（レジリエント）な農業を実践する。

目標達成を目指す理由

誰もが食料を十分に確保したいと思っています。お腹がすいた状態ではやる気は出ず、力が入らなくなります。それではSDGsも達成できません。飢餓をゼロにすれば、経済や健康、教育、平等、そして社会開発に好影響を与えることができます。

目標3

あらゆる年齢のすべての人々の健康的な生活を確保し、福祉を促進する

世界が直面している主な課題・問題

- 2017年には妊娠および出産に関連する合併症により30万人近くの女性が死亡しました。その90%以上が低中所得国に住む人でした。
- 5歳未満の死亡者総数は、2000年の980万人から2017年の540万人に減少しました。このうちのほぼ半分（250万人）は、生後1カ月のこどもです。
- 2017年には、推定2億1,900万人がマラリアにかかり、43万5,000人がそれを原因に死亡しています。
- 2017年に推定1,000万人が結核を発症しました。結核の感染率は、2000年以降21%減少しましたが、2030年までに根絶する目標を達成するには十分なペースではありません。

主なターゲット

3.1　2030年までに、世界の妊産婦の死亡率を出生10万人当たり70人未満に削減する。

3.2　すべての国が新生児死亡率を少なくとも出生1,000件中12件以下まで減らし、5歳以下死亡率を少なくとも出生1,000件中25件以下まで減らすことを目指し、2030年までに、新生児及び5歳未満児の予防可能な死亡を根絶する。

3.3　2030年までに、エイズ、結核、マラリア及び顧みられない熱帯病といった伝染病を根絶するとともに肝炎、水系感染症及びその他の感染症に対処する。

3.4　2030年までに、非感染性疾患による若年死亡率を、予防や治療を通じて3分の1減少させ、精神保健及び福祉を促進する。

3.5　薬物乱用やアルコールの有害な摂取を含む、物質乱用の防止・治療を強化する。

3.6　2020年までに、世界の道路交通事故による死傷者を半減させる。

3.9　2030年までに、有害化学物質、並びに大気、水質及び土壌の汚染による死亡及び疾病の件数を大幅に減少させる。

目標達成を目指す理由

健康と福祉を得られることは、ひとつの人権です。人が健康であることは、健全な経済を支える基盤になります。すべての人に健康な生活を確保するためには、多額の費用が必要になりますが、それによって得られる恩恵は費用を上回ります。

目標4

4 質の高い教育をみんなに

すべての人々への包摂的かつ公正な質の高い教育を提供し、生涯学習の機会を促進する

世界が直面している主な課題・問題

- 2016年時点で、7億5,000万人の成人が読み書きができません。そのうち3分の2が女性です。サハラ以南アフリカと南アジアで成人識字率が低くなっています。
- 2015年時点で、6億1,700万人（世界の同年齢の55%以上）の小中学校に通う年齢のこどもが、最低限の読み書きと算数を習熟できていませんでいた。
- 2017年には2億6,200万人のこどもと青年（6～17歳）は学校に通えていません。これはその年齢層の世界人口のほぼ5人に1人に相当します。
- 女子は依然として教育の障壁に直面しており、2017年時点で学校に通っていない諸学校就学年齢の女児数が男児に比べて、中央アジアでは27%、サハラ以南アフリカでは21%、北アフリカと西アジアでは12%も多くなっています。

主なターゲット

4.1　2030年までに、すべてのこどもが男女の区別なく、適切かつ効果的な学習成果をもたらす、無償かつ公正で質の高い初等教育及び中等教育を修了できるようにする。

4.2　2030年までに、すべてのこどもが男女の区別なく、質の高い乳幼児の発達・ケア及び就学前教育にアクセスすることにより、初等教育を受ける準備が整うようにする。

4.3　2030年までに、すべての人々が男女の区別なく、手の届く質の高い技術教育・職業教育及び大学を含む高等教育への平等なアクセスを得られるようにする。

4.4　2030年までに、技術的・職業的スキルなど、雇用、働きがいのある人間らしい仕事及び起業に必要な技能を備えた若者と成人の割合を大幅に増加させる。

4.5　2030年までに、教育におけるジェンダー格差をなくし、障害者、先住民及び脆弱な立場にあるこどもなど、脆弱層があらゆるレベルの教育や職業訓練に平等にアクセスできるようにする。

4.6　2030年までに、すべての若者及び大多数（男女ともに）の成人が、読み書き能力及び基本的計算能力を身に付けられるようにする。

目標達成を目指す理由

質の高い教育は、人に健康で持続可能な生活を送る能力を与えます。それだけでなく、貧困の連鎖を断ち切る力を与え、不平等の是正、ジェンダー平等の達成にも貢献します。教育はSDGsの達成において重要なカギを握っている要素といえます。

目標5

ジェンダー平等を達成し、すべての女性及び女児のエンパワーメントを行う

世界が直面している主な課題・問題

● 2005 ～ 2017 年の間に過去 12 カ月間に現在または以前の親密なパートナーによる身体的または性的暴力を受けた 15 ～ 49 歳の女性と女児は 18%もいます。

● 2019 年 1 月 1 日の時点で、国会議員に女性が占める割合は 24%でした。2010 年の 19%から改善していますが、男女の差は開いたままです。また、2018 年の労働力の 39%は女性でしたが、女性の管理職は 27%しか占めていませんでした。

●女性性器切除術を受けた女性は、少なくとも 2 億人います。この深刻な人権侵害行為の約半分は、西アフリカの国々で行われています。

●女性は、給料が支払われない高齢者の介護やこどもの世話、家事に、男性の約 3 倍の時間を費やしています。

主なターゲット

5.1 あらゆる場所におけるすべての女性及び女児に対するあらゆる形態の差別を撤廃する。

5.2 人身売買や性的、その他の種類の搾取など、すべての女性及び女児に対する、公共・私的空間におけるあらゆる形態の暴力を排除する。

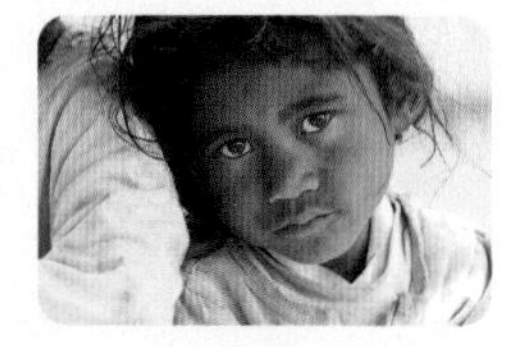

5.3 未成年者の結婚、早期結婚、強制結婚及び女性器切除など、あらゆる有害な慣行を撤廃する。

5.4 公共のサービス、インフラ及び社会保障政策の提供、並びに各国の状況に応じた世帯・家族内における責任分担を通じて、無報酬の育児・介護や家事労働を認識・評価する。

5.5 政治、経済、公共分野でのあらゆるレベルの意思決定において、完全かつ効果的な女性の参画及び平等なリーダーシップの機会を確保する。

5.6 国際人口・開発会議（ICPD）の行動計画及び北京行動綱領、並びにこれらの検証会議の成果文書に従い、性と生殖に関する健康及び権利への普遍的アクセスを確保する。

目標達成を目指す理由

ジェンダー平等の推進は、貧困削減、こどもの健康、福祉など、健全な社会のあらゆる側面に不可欠だからです。たとえば、女児向けの教育に投資し、結婚年齢を引き上げれば、投資 1 ドル当たり 5 ドルが戻るという試算もあります。

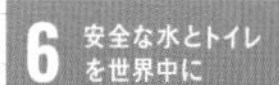

すべての人々の水と衛生の利用可能性と持続可能な管理を確保する

世界が直面している主な課題・問題

- 2000年から2017年の間に、安全に管理された飲料水を使用する世界の人口の割合は、61%から71%に増加しました。しかし、2017年時点で、7億8,500万人もの人々が基本的な飲料水サービスさえ受けられていません。
- 2017年になっても、世界中で約30億人が依然として自宅で適切に手を洗うことができていません。
- 2017年時点で、世界人口の約9%にあたる6億7,300万人がいまだに屋外排せつを行っています。その大半は南アジアで行われています。
- 2016年時点で、世界中の医療施設のうち4カ所に1カ所は基本的な飲料水サービスがなく、20億人以上の人々の感染病リスクを高めています。

主なターゲット

6.1　2030年までに、すべての人々の、安全で安価な飲料水の普遍的かつ衡平なアクセスを達成する。

6.2　2030年までに、すべての人々の、適切かつ平等な下水施設・衛生施設へのアクセスを達成し、野外での排泄をなくす。女性及び女児、並びに脆弱な立場にある人々のニーズに特に注意を払う。

6.3　2030年までに、汚染の減少、投棄の廃絶と有害な化学物・物質の放出の最小化、未処理の排水の割合半減及び再生利用と安全な再利用の世界的規模で大幅に増加させることにより、水質を改善する。

6.4　2030年までに、全セクターにおいて水利用の効率を大幅に改善し、淡水の持続可能な採取及び供給を確保し水不足に対処するとともに、水不足に悩む人々の数を大幅に減少させる。

6.5　2030年までに、国境を越えた適切な協力を含む、あらゆるレベルでの統合水資源管理を実施する。

目標達成を目指す理由

水資源を持続可能なかたちで管理すれば、食料やエネルギーの生産管理が改善し、ディーセント・ワーク（働きがいのある人間らしい仕事）や経済成長にも貢献できるからです。水資源を保全できれば、気候変動対策も講じられるようにもなります。

目標7

7 エネルギーをみんなに そしてクリーンに

すべての人々の、安価かつ信頼できる持続可能な近代的エネルギーへのアクセスを確保する

世界が直面している主な課題・問題

●世界で電力サービスを受けられる人は2010年の83%から2017年には89%まで増えていますが、2017年時点で8億4,000万人が電力を利用できていません。そのほとんどがサハラ以南アフリカ地域で、人口の56%にあたる5億7,700万人がまだ電力を利用できていません。
●農村部の電化は2015年から2017年の間に急速に進展しましたが、2017年の農村部における電力カバー率は78%にとどまっています。電力を利用できない人の87%は農村部に住んでいます。一方、都市部では97%の人々が電力を利用できています。
●最終的なエネルギー総消費量に占める再生可能エネルギーの割合は、2010年の16.6%から2016年には17.5%に達しました。

主なターゲット

7.1　2030年までに、安価かつ信頼できる現代的エネルギーサービスへの普遍的アクセスを確保する。
7.2　2030年までに、世界のエネルギーミックスにおける再生可能エネルギーの割合を大幅に拡大させる。
7.3　2030年までに、世界全体のエネルギー効率の改善率を倍増させる。
7.a　2030年までに、再生可能エネルギー、エネルギー効率及び先進的かつ環境負荷の低い化石燃料技術などのクリーンエネルギーの研究及び技術へのアクセスを促進するための国際協力を強化し、エネルギー関連インフラとクリーンエネルギー技術への投資を促進する
7.b　2030年までに、各々の支援プログラムに沿って開発途上国、特に後発開発途上国及び小島嶼開発途上国、内陸開発途上国のすべての人々に現代的で持続可能なエネルギーサービスを供給できるよう、インフラ拡大と技術向上を行う。

目標達成を目指す理由

エネルギーシステムを確立すれば、ビジネス、医療、教育から農業、インフラ、通信、先端技術などのあらゆる部門を支えることができるからです。逆に、エネルギーシステムを利用できなければ、人間開発と経済発展の障害となります。

目標8

包摂的かつ持続可能な経済成長及びすべての人々の完全かつ生産的な雇用と働きがいのある人間らしい雇用(ディーセント・ワーク)を促進する

世界が直面している主な課題・問題

●開発途上国の中でも特に開発が遅れている後発開発途上国の2010年～2017年の実質経済成長率は4.8%で、目標とする7%の目標には遠く及んでいません。

●世界の失業率は着実に低下していますが、一部の地域や若者の間では高いままです。2018年の地域別の失業率は、北アフリカと西アジアが9.9%、ラテンアメリカとカリブ海が8.0%と高くなっています。また、2018年の25歳以上の人々の失業率は4%でしたが、15歳～24歳までの若者の失業率は12%でした。

● 2018年には、世界の若者の5分の1が教育、雇用、訓練のいずれにも従事していない「ニート」でした。なかでも、中央アジア、南アジア、北アフリカ、西アジアでは深刻な状況で、若者の4分の1以上がニートです。

主なターゲット

8.1　各国の状況に応じて、一人当たり経済成長率を持続させる。特に後発開発途上国は少なくとも年率7%の成長率を保つ。

8.4　2030年までに、世界の消費と生産における資源効率を漸進的に改善させ、先進国主導の下、持続可能な消費と生産に関する10年計画枠組みに従い、経済成長と環境悪化の分断を図る。

8.6　2020年までに、就労、就学及び職業訓練のいずれも行っていない若者の割合を大幅に減らす。

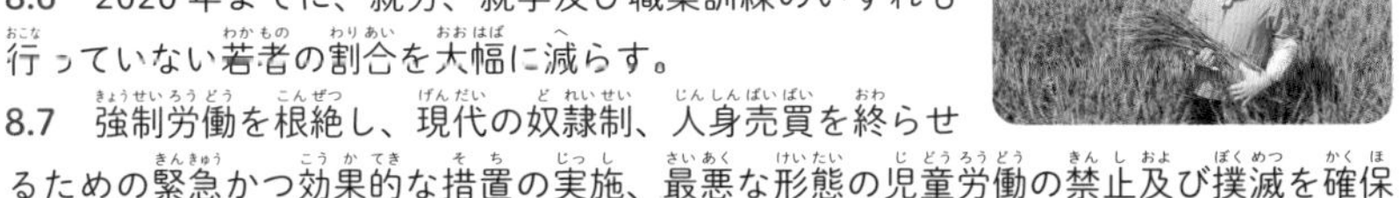

8.7　強制労働を根絶し、現代の奴隷制、人身売買を終らせるための緊急かつ効果的な措置の実施、最悪な形態の児童労働の禁止及び撲滅を確保する。2025年までに児童兵士の募集と使用を含むあらゆる形態の児童労働を撲滅する。

8.8　移住労働者、特に女性の移住労働者や不安定な雇用状態にある労働者など、すべての労働者の権利を保護し、安全・安心な労働環境を促進する。

8.9　2030年までに、雇用創出、地方の文化振興・産品販促につながる持続可能な観光業を促進するための政策を立案し実施する。

目標達成を目指す理由

人々の生産性が上がり、それぞれの国の成長に貢献できれば、社会全体に利益が及ぶからです。生産的な雇用と「ディーセント・ワーク(働きがいのある人間らしい仕事)」は、公正なグローバリゼーションと貧困削減の達成のカギを握る要素です。

目標9

強靭(レジリエント)なインフラ構築、包摂的かつ持続可能な産業化の促進及びイノベーションの推進を図る

世界が直面している主な課題・問題

●富める国と貧しい国の間の産業生産性の格差は依然として厳しいままです。後発開発途上国の産業化は、2030年にSDGsの目標を達成できるペースで進んでいません。たとえば、2018年の1人あたりの製造業付加価値は、ヨーロッパ・北アメリカでは4,938ドルでしたが、後発開発途上国でわずか114ドルでした。

●全世界における研究開発への投資は、2000年には7,390億ドルでしたが、2016年には2兆ドルと大きく増えています。

●2018年時点で、世界人口の96%が携帯電話を使える範囲に住んでおり、90%の人々が3G以上の性能をもつモバイル・ネットワークがあるエリアに暮らしています。ただし、経済的理由で使えない人もいます。

主なターゲット

9.1　すべての人々に安価で公平なアクセスに重点を置いた経済発展と人間の福祉を支援するために、地域・越境インフラを含む質の高い、信頼でき、持続可能かつ強靭（レジリエント）なインフラを開発する。

9.2　包摂的かつ持続可能な産業化を促進し、2030年までに各国の状況に応じて雇用及びGDPに占める産業セクターの割合を大幅に増加させる。後発開発途上国については同割合を倍増させる。

9.4　2030年までに、資源利用効率の向上とクリーン技術及び環境に配慮した技術・産業プロセスの導入拡大を通じたインフラ改良や産業改善により、持続可能性を向上させる。すべての国々は各国の能力に応じた取組を行う。

9.5　2030年までにイノベーションを促進させることや100万人当たりの研究開発従事者数を大幅に増加させ、また官民研究開発の支出を拡大させるなど、開発途上国をはじめとするすべての国々の産業セクターにおける科学研究を促進し、技術能力を向上させる。

目標達成を目指す理由

貧困を根絶し、持続可能な開発を前進させるために産業が何もしなければ、貧困の根絶はさらに難しくなります。また、インフラ整備と技術革新の促進を怠れば、医療の劣化、衛生施設の不足、教育へのアクセスも限られるという結果を招くからです。

目標10

各国内及び各国間の不平等を是正する

世界が直面している主な課題・問題

● 2011年から2016年の期間にわたってデータを得られる92カ国のうち69カ国で収入が下位40%の最貧層の所得が全国平均を上回る伸びを示しました。しかし、貧困層が受け取るのは全体の収入の25%未満でしかありません。
●多くの国で上位1%の最富裕層が受け取る所得の割合がますます大きくなっている。
●労働分配率（付加価値に占める人件費の割合。この数字が高いほど、企業が従業員に給料を支払っていることになる）は減少傾向にあります。2004年から2017年の間に、労働分配率は、「中央アジア・南アジア」で5%以上（51.2%→45.8%）、「ヨーロッパ・北米」で2%（59.6%→57.6%）減少しました。逆に、ラテンアメリカとカリブ海諸国では、48.4%→50.5%に増加しました。

主なターゲット

10.1　2030年までに、各国の所得下位40%の所得成長率について、国内平均を上回る数値を漸進的に達成し、持続させる。

10.2　2030年までに、年齢、性別、障害、人種、民族、出自、宗教、あるいは経済的地位その他の状況に関わりなく、すべての人々の能力強化及び社会的、経済的及び政治的な包含を促進する。

10.3　差別的な法律、政策及び慣行の撤廃、並びに適切な関連法規、政策、行動の促進などを通じて、機会均等を確保し、成果の不平等を是正する。

10.4　税制、賃金、社会保障政策をはじめとする政策を導入し、平等の拡大を漸進的に達成する。

10.5　世界金融市場と金融機関に対する規制とモニタリングを改善し、こうした規制の実施を強化する。

10.7　計画に基づきよく管理された移民政策の実施などを通じて、秩序のとれた、安全で規則的かつ責任ある移住や流動性を促進する。

目標達成を目指す理由

依然、世界には理不尽な差別がさまざまなかたちで根強く残っています。社会的弱者や社会から疎外されたコミュニティの人々に機会やサービス、生活を向上できるチャンスがなければ、すべての人にとって地球をよりよい場所にはできないからです。

目標11

11 住み続けられるまちづくりを

包摂的で安全かつ強靱(レジリエント)で持続可能な都市及び人間居住を実現する

世界が直面している主な課題・問題

●世界中でスラムに住んでいる都市人口の割合は、2000年から2014年の間に28%から23%に減少しましたが、2018年には23.5%に増加しました。依然、スラムに類似した環境に住む都市住民は10億人以上もいます。

●世界全体で20億人がゴミ収集サービスを利用できていません。

●都市住民の47%が公共交通機関への便利なアクセス（バス停または少人数交通システムから徒歩500メートル以内、または鉄道駅またはフェリー乗り場から1,000メートル以内に暮らしていること）ができていません。

●2010年～2016年の間に、世界人口の50%以上が住むエリアの大気は悪化しており、2016年時点で都市住民10人中9人が汚染された空気の中で生活しています。

主なターゲット

11.1　2030年までに、すべての人々の、適切、安全かつ安価な住宅及び基本的サービスへのアクセスを確保し、スラムを改善する。

11.2　2030年までに、脆弱な立場にある人々、女性、こども、障害者及び高齢者のニーズに特に配慮し、公共交通機関の拡大などを通じた交通の安全性改善により、すべての人々に、安全かつ安価で容易に利用できる、持続可能な輸送システムへのアクセスを提供する。

11.3　2030年までに、包摂的かつ持続可能な都市化を促進し、すべての国々の参加型、包摂的かつ持続可能な人間居住計画・管理の能力を強化する。

11.5　2030年までに、貧困層及び脆弱な立場にある人々の保護に焦点をあてながら、水関連災害などの災害による死者や被災者数を大幅に削減し、世界の国内総生産比で直接的経済損失を大幅に減らす。

11.7　2030年までに、大気の質及び一般並びにその他の廃棄物の管理に特別な注意を払うことによるものを含め、都市の一人当たりの環境上の悪影響を軽減する。

目標達成を目指す理由

スラムの住民は8億8,300万人もいて、増え続けています。陸地面積のわずか3%相当の都市が、エネルギー消費の60～80%、炭素排出量の75%を占めています。社会的、経済的な損失を回避するには、現在の都市を変えることが欠かせないからです。

持続可能な生産消費形態を確保する

世界が直面している主な課題・問題

●消費された天然資源量を表す指標である「マテリアルフットプリント」は、全世界で人口と経済の成長をしのぐ勢いで急拡大しています。1990年に430億トンでしたが、2017年には920億トンでした。2060年の推計では1,900億トンに達するとされています。

●高所得国の1人あたりの「マテリアルフットプリント」は27トンで、上位中所得国より60%多く、低所得国の13倍以上と大きな差がある。

●世界的に廃棄物の発生が高まっています。毎年、人間が消費するために生産された食品の約3分の1が失われるか無駄になっており、そのほとんどが先進国で失われています。

主なターゲット

12.1 開発途上国の開発状況や能力を勘案しつつ、持続可能な消費と生産に関する10年計画枠組みを実施し、先進国主導の下、すべての国々が対策を講じる。

12.2 2030年までに天然資源の持続可能な管理及び効率的な利用を達成する。

12.3 2030年までに小売・消費レベルにおける世界全体の一人当たりの食料の廃棄を半減させ、収穫後損失などの生産・サプライチェーンにおける食品ロスを減少させる。

12.4 2020年までに、合意された国際的な枠組みに従い、製品ライフサイクルを通じ、環境上適正な化学物質やすべての廃棄物の管理を実現し、人の健康や環境への悪影響を最小化するため、化学物質や廃棄物の大気、水、土壌への放出を大幅に削減する。

12.5 2030年までに、廃棄物の発生防止、削減、再生利用及び再利用により、廃棄物の発生を大幅に削減する。

12.6 特に大企業や多国籍企業などの企業に対し、持続可能な取り組みを導入し、持続可能性に関する情報を定期報告に盛り込むよう奨励する。

目標達成を目指す理由

今後、全世界でさらに多くの人が中間層に加わりますが、それにともない天然資源に対する需要が増すため、消費と生産のパターンを変える行動を起こさなければ、環境に取り返しのつかない損害を与えてしまうことになるからです。

目標13

気候変動及びその影響を軽減するための緊急対策を講じる

世界が直面している主な課題・問題

● 2018年の地球の平均気温は、産業革命前の平均気温よりも約1°C高く、過去4年間で記録的に最も高温になっています。また、海面が上昇する速度が上がり続けています。

●世界の二酸化炭素排出量は、2030年までに2010年のレベルから45%減少させるとともに、2050年までに正味のゼロ排出を達成するために急減を続ける必要があります。

● 1998年～2017年にかけて、世界中の気候関連の災害による直接的な経済的損失の約3兆ドルの77%を占めました。その期間中、気候関連および地球物理学的災害による死者数は130万人に上ったと推定されています。

主なターゲット

13.1 すべての国々において、気候関連災害や自然災害に対する強靱性（レジリエンス）及び適応の能力を強化する。

13.2 気候変動対策を国別の政策、戦略及び計画に盛り込む。

13.3 気候変動の緩和、適応、影響軽減及び早期警戒に関する教育、啓発、人的能力及び制度機能を改善する。

13.a 重要な緩和行動の実施とその実施における透明性確保に関する開発途上国のニーズに対応するため、2020年までにあらゆる供給源から年間1,000億ドルを共同で動員するという、UNFCCCの先進締約国によるコミットメントを実施するとともに、可能な限り速やかに資本を投入して緑の気候基金を本格始動させる。

13.b 後発開発途上国及び小島嶼開発途上国において、女性や青年、地方及び社会的に疎外されたコミュニティに焦点を当てることを含め、気候変動関連の効果的な計画策定と管理のための能力を向上するメカニズムを推進する。

目標達成を目指す理由

人間の活動に起因する気候変動は、暴風雨や災害、さらには紛争の原因となりかねない食料・水不足などの脅威をさらに悪化させるからです。何も対策をしなければ、地球の平均気温上昇は3°Cを超え、あらゆる生態系に悪影響が及びます。

目標14

持続可能な開発のために海洋・海洋資源を保全し、持続可能な形で利用する

世界が直面している主な課題・問題

●海洋が二酸化炭素（CO_2）を吸収することで、大気中のCO_2濃度の上昇が抑えられていますが、海洋中にCO_2が蓄積されて海洋酸性化が進行すると、海洋生態系へ悪影響を及ぼします。産業革命以前に比べて海洋酸性度は26％上昇しています。現在のCO_2排出率では、今世紀末までに酸性度が100～150％増加すると予測されています。
●生物学的に持続可能なレベルにある海産魚資源の割合は、1974年の90％から2015年には67％まで減少しました。海域別にみると、2015年時点では地中海・黒海地域が37.8％と最も低く、次に東南太平洋地域（38.5％）が続いています。一方、東中央および北東太平洋地域では、生物学的に持続可能なレベルである85％を超えています。
● 220の沿岸地域のうち104は、2012年から2018年の間に水質が改善しました。

主なターゲット

14.1　2025年までに、海洋ごみや富栄養化を含む、特に陸上活動による汚染など、あらゆる種類の海洋汚染を防止し、大幅に削減する。

14.2　2020年までに、海洋及び沿岸の生態系に関する重大な悪影響を回避するため、強靱性（レジリエンス）の強化などによる持続的な管理と保護を行い、健全で生産的な海洋を実現するため、海洋及び沿岸の生態系の回復のための取り組みを行う。

14.3　あらゆるレベルでの科学的協力の促進などを通じて、海洋酸性化の影響を最小限化し、対処する。

14.4　水産資源を、実現可能な最短期間で少なくとも各資源の生物学的特性によって定められる最大持続生産量のレベルまで回復させるため、2020年までに、漁獲を効果的に規制し、過剰漁業や違法・無報告・無規制漁業及び破壊的な漁業慣行を終了し、科学的な管理計画を実施する。

14.5　2020年までに、国内法及び国際法にのっとり、最大限入手可能な科学情報に基づいて、少なくとも沿岸域及び海域の10％を保全する。

目標達成を目指す理由

世界の海に流れ込むゴミの量の増加が環境と経済に大きな悪影響を及ぼしつつあるからです。生物多様性を損なうだけでなく、ずさんな海洋管理による魚の乱獲によって、漁業部門の経済的利益の損失は、年間500億ドル（約5兆5,000億円）にも上ります。

目標15

陸域生態系の保護、回復、持続可能な利用の推進、持続可能な森林の経営、砂漠化への対処、ならびに土地の劣化の阻止・回復及び生物多様性の損失を阻止する

世界が直面している主な課題・問題

●哺乳類、鳥、両生類、サンゴ、ソテツに関する2万種を超えるデータを追跡するレッドリストインデックスによると、種の絶滅のリスクは過去25年間で約10%悪化しています。

●地球の総陸地面積の20%が2000年から2015年の間に砂漠化、森林破壊、不適切な土壌管理、耕作地の拡大、都市化などによって劣化しました。それにより人間の福祉に不可欠なサービスが大幅に失われ、10億人以上の人々の生活に直接影響を与えています。

● 2000年から2015年の間に、総土地面積に占める森林面積は31.1%から30.7%になり約5,700万ヘクタール（ケニアとほぼ同じ面積）の森林が失われました。

主なターゲット

15.1　2020年までに、国際協定の下での義務に則って、森林、湿地、山地及び乾燥地をはじめとする陸域生態系と内陸淡水生態系及びそれらのサービスの保全、回復及び持続可能な利用を確保する。

15.2　2020年までに、あらゆる種類の森林の持続可能な経営の実施を促し、森林減少を阻止し、劣化した森林を回復し、世界全体で新規植林及び再植林を大幅に増加させる。

15.3　2030年までに、砂漠化に対処し、砂漠化、干ばつ及び洪水の影響を受けた土地などの劣化した土地と土壌を回復し、土地劣化に荷担しない世界の達成に尽力する。

15.5　自然生息地の劣化を抑制し、生物多様性の損失を阻止し、2020年までに絶滅危惧種を保護し、また絶滅防止するための緊急かつ意味のある対策を講じる。

15.8　2020年までに、外来種の侵入を防止するとともに、これらの種による陸域・海洋生態系への影響を大幅に減少させるための対策を導入し、さらに優先種の駆除または根絶を行う。

目標達成を目指す理由

人間活動と気候変動による生態系の混乱に起因する自然災害は、すでに全世界で年3,000億ドル（約33兆円）超の被害をもたらしています。持続可能なかたちで森林を管理し、砂漠化に対処し、土地の劣化を止めなければ、多くの問題が起こるからです。

目標16

持続可能な開発のための平和で包摂的な社会を促進し、すべての人々に司法へのアクセスを提供し、あらゆるレベルにおいて効果的で説明責任のある包摂的な制度を構築する

世界が直面している主な課題・問題

●殺人事件の犠牲者の数は、2000年の41万9,000人から2017年の46万4,000人と11%増加しました。犠牲者に占める男性の割合は80%ですが、親密なパートナーや家族による殺人の犠牲者に女性が占める割合は64%になっています。
●世界中で把握された人身売買の被害者のうち、女性と女児が占める割合は70%を占めており、そのうち59%は性的搾取が目的のものでした。
●2010年から2018年までの161カ国のデータによると、世界で5歳未満のこどもの73%が出生登録されていますが、サハラ以南のアフリカでは46%にとどまります。
●2018年1月から10月まで、41カ国で、人権擁護活動家、ジャーナリスト、労働組合員が397人殺害されました。

主なターゲット

16.1　あらゆる場所において、すべての形態の暴力及び暴力に関連する死亡率を大幅に減少させる。
16.2　こどもに対する虐待、搾取、取引及びあらゆる形態の暴力及び拷問を撲滅する。

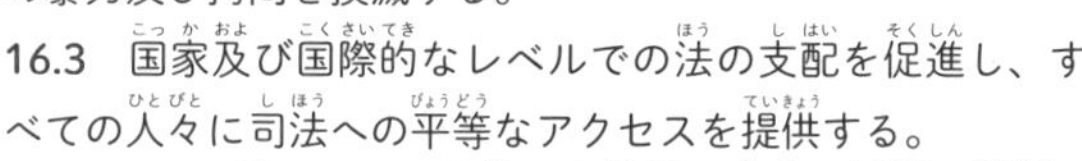

16.3　国家及び国際的なレベルでの法の支配を促進し、すべての人々に司法への平等なアクセスを提供する。
16.4　2030年までに、違法な資金及び武器の取引を大幅に減少させ、奪われた財産の回復及び返還を強化し、あらゆる形態の組織犯罪を根絶する。
16.5　あらゆる形態の汚職や贈賄を大幅に減少させる。
16.6　あらゆるレベルにおいて、有効で説明責任のある透明性の高い公共機関を発展させる
16.9　2030年までに、すべての人々に出生登録を含む法的な身分証明を提供する。
16.10　国内法規及び国際協定に従い、情報への公共アクセスを確保し、基本的自由を保障する。

目標達成を目指す理由

SDGsの達成には、すべての人々がいかなる暴力も受けず、民族や信条、性的指向に関係なく、安心して生活を送る必要があります。各国政府と市民社会、コミュニティーは結束して、暴力を減らし、正義を実現し、腐敗と闘わなければいけないからです。

目標17

17 パートナーシップで目標を達成しよう

持続可能な開発のための実施手段を強化し、グローバル・パートナーシップを活性化する

世界が直面している主な課題・問題

- 2018年の正味ODA（政府開発援助）の総額は1,490億ドルで、2017年から実質ベースで2.7%減少しています。
- ODAは後発開発途上国にとっての最大の資金源です。それにもかかわらず、2018年は、後発開発途上国とアフリカ諸国への援助が減少しました。後発開発途上国に対する二国間ODAは、2017年から実質ベースで3%、アフリカへの援助は4%減少しています。
- 2018年に先進国では81%の人がインターネットに接続していたのに対し、開発途上国では45%、特に開発が遅れている後発開発途上国ではわずか20%の人しかインターネットにアクセスできません。

主なターゲット

17.1　課税及び徴税能力の向上のため、開発途上国への国際的な支援なども通じて、国内資源の動員を強化する。

17.3　複数の財源から、開発途上国のための追加的資金源を動員する。

17.8　2017年までに、後発開発途上国のための技術バンク及び科学技術イノベーション能力構築メカニズムを完全運用させ、情報通信技術（ICT）をはじめとする実現技術の利用を強化する。

17.11　開発途上国による輸出を大幅に増加させ、特に2020年までに世界の輸出に占める後発開発途上国のシェアを倍増させる。

17.14　持続可能な開発のための政策の一貫性を強化する。

17.15　貧困撲滅と持続可能な開発のための政策の確立・実施にあたっては、各国の政策空間及びリーダーシップを尊重する。

17.17　さまざまなパートナーシップの経験や資源戦略を基にした、効果的な公的、官民、市民社会のパートナーシップを奨励・推進する。

目標達成を目指す理由

SDGsは先進国、途上国を問わず、すべての国に「誰一人取り残さない」ための行動を求めています。SDGsを達成するためには、各国政府、市民社会、科学者、学界、民間セクターを含む全員の結束が必要だからです。

貧困、経済格差、人種差別、環境破壊……

地球にはさまざまな問題・課題が山積みになっている！

このままでは大人になったころの地球はあぶない！

どうすれば、世界の人々が

もっと暮らしやすい地球にできるのだろうか？

SDGsの17の目標を通して、

どんな問題・課題を解決すればいいのか、

そのために何をするべきか考えてみよう！

SDGsお役立ちサイト

●国際連合広報センター公式サイト

SDGsについて知りたければ、このサイトを一度は見ておくことをおすすめします。17の目標のロゴをダウンロードできるほか、映像なども用意されています。

https://www.unic.or.jp/activities/economic_social_development/sustainable_development/2030agenda/

●SDGs.TV

オリジナル動画のほか、国連などがつくった動画を日本語字幕を付けて配信するサイト。ユーザー登録（無料）すれば、すべての動画を閲覧できます。

https://sdgs.tv/
（要ユーザー登録）

●外務省 JAPAN SDGs Action Platform

日本政府の取り組みの最新情報や、企業、自治体、NPO（非営利団体）／NGO（非政府組織）、教育・研究機関などの取り組みについて知ることができます。

https://www.mofa.go.jp/mofaj/gaiko/oda/sdgs/index.html

SDGsを楽しく学べる便利ツール

国際連合広報センター「ゴー・ゴールズ」

楽しく遊びながら、SDGsを学べるすごろく「ゴー・ゴールズ」をダウンロードできます。家族で楽しみながら人間社会が直面するさまざまな課題と未来を考えることができます。

https://go-goals.org/

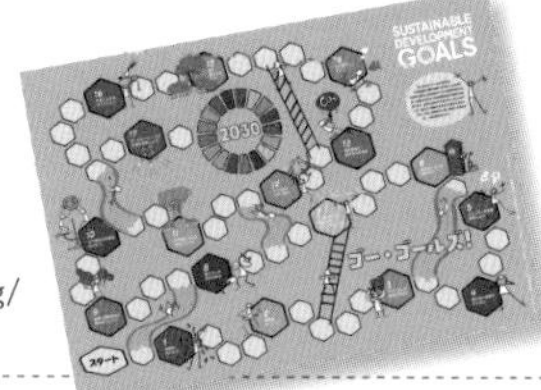

ユニセフ「学校のための持続可能な開発目標ガイド」

こども向けにSDGsの17の目標を簡単に説明しています。小学校で行われている実際の取り組みを知ることができます。ユニセフのさまざまな資料請求もできます。

https://www.unicef.or.jp/kodomo/sdgs/

SDGsジャーナル「こどもSDGs」

こどもがわかりやすく、楽しみながらSDGsを学ぶことを目的としたYouTubeチャンネルです。順次コンテンツを追加される予定です（2020年6月16日現在）。

http://bit.ly/2Ualjkt
（YouTubeチャンネル）

【参考資料】

- 『60分でわかる! SDGs 超入門』(技術評論社)
  バウンド、佐藤 寛・監修、功能 聡子・監修
- 『未来を変える目標 SDGsアイデアブック』(紀伊國屋書店)
  Think the Earth、蟹江憲史・監修
- 『SDGs入門』(日本経済新聞出版)
  村上芽、渡辺珠子
- 『ビジネスパーソンのためのSDGsの教科書』(日経BP)
  足達 英一郎、村上 芽、橋爪麻紀子
- 『わたし8歳、カカオ畑で働きつづけて。―児童労働者とよばれる2億1800万人の子どもたち』(合同出版)
  岩附由香、白木朋子、水寄僚子
- 『欲望の資本主義－ルールが変わる時』(東洋経済新報社)
  丸山 俊一、NHK「欲望の資本主義」制作班
- 『欲望の資本主義2－闇の力が目覚める時』(東洋経済新報社)
  丸山 俊一、NHK「欲望の資本主義」制作班
- 『欲望の資本主義3－偽りの個人主義を越えて』(東洋経済新報社)
  丸山 俊一、NHK「欲望の資本主義」制作班

【制作スタッフ】

執筆・編集 …………………… バウンド
本文デザイン …………… 山本真琴(design.m)
イラスト …………………… 瀬川尚志
DTP ………………………… バウンド

さくいん

【監修者プロフィール】

秋山宏次郎（あきやま・こうじろう）

●一般社団法人こども食堂支援機構・代表理事

SDGs オンラインフェスタ・ソーシャルイノベーションディレクター、企業版ふるさと納税の新たな活用モデル構築検討戦略会議・学識委員。企業から食品の寄付やフードロスを集め全国のこども食堂に100万食以上を提供。大手企業の社員時代から他社や行政にさまざまな提案をし、内閣府認定の官民連携優良事例（全国5選）など、20以上の新規プロジェクト発起人として多くの案件を実現に導く。その他、大学での授業、講演、執筆活動まで幅広く活動するパラレルワーカー。

こどもSDGs

なぜSDGsが必要なのかがわかる本

発行日／2020年8月1日　初版
2021年8月12日　第12刷　発行

監修……秋山宏次郎
著者……バウンド
装丁者……山本真琴（design.m）
発行人……坪井義哉
発行所……株式会社カンゼン
〒101-0021
東京都千代田区外神田2-7-1 開花ビル
TEL……03（5295）7723
FAX……03（5295）7725
URL……http://www.kanzen.jp/
郵便振替……00150-7-130339
印刷・製本……株式会社シナノ

ISBN 978-4-86255-561-8
Printed in Japan　定価はカバーに表示してあります。